RESTINGA

A marca FSC® é a garantia de que a madeira utilizada na fabricação do papel deste livro provém de florestas que foram gerenciadas de maneira ambientalmente correta, socialmente justa e economicamente viável, além de outras fontes de origem controlada.

MIGUEL DEL CASTILLO

# Restinga

*Dez contos e uma novela*

*Grafia atualizada segundo o Acordo Ortográfico da Língua Portuguesa de 1990, que entrou em vigor no Brasil em 2009.*

*Capa*
Claudia Espínola de Carvalho

*Preparação*
Lígia Azevedo

*Revisão*
Valquíria Della Pozza
Marise Leal

*Os personagens e as situações desta obra são reais apenas no universo da ficção; não se referem a pessoas e fatos concretos, e não emitem opinião sobre eles.*

Dados Internacionais de Catalogação na Publicação (CIP)
(Câmara Brasileira do Livro, SP, Brasil)

Castillo, Miguel Del
Restinga : Dez contos e uma novela / Miguel Del Castillo
— 1ª ed. — São Paulo : Companhia das Letras, 2015.

ISBN 978-85-359-2529-6

1. Contos brasileiros I. Título.

14-12636 CDD-869.93

Índice para catálogo sistemático:
1. Contos : Literatura brasileira 869.93

[2015]

EDITORA SCHWARCZ S.A.
Rua Bandeira Paulista, 702, cj. 32
04532-002 — São Paulo — SP
Telefone: (11) 3707-3500
Fax: (11) 3707-3501
www.companhiadasletras.com.br
www.blogdacompanhia.com.br

*para* Carol

*Tinha se esquecido da história e não era sua intenção relembrá-la. Tinha se esquecido do nome e do rosto de sua esposa e dos nomes e dos rostos de seus filhos, ou até mesmo se tinha esposa e filhos, e dos nomes de lugares e dos próprios lugares e do que neles tinha acontecido. [...] Ele ouvia as palavras, Chickamauga, Shiloh, Johnston, Lee, e sabia ser ele a inspiração de todas, que para ele porém nada queriam dizer. Tentou lembrar se havia sido general em Chickamauga ou em Lee. Depois tentou se ver a cavalo no meio de um carro alegórico cheio de garotas bonitas, avançando lentamente pelo centro de Atlanta. Mas nada adiantava, as velhas palavras já se moviam pelo interior de seu cérebro, como se tentassem se desvencilhar de onde estavam para adquirir vida própria.*

*Flannery O'Connor*, "Um último encontro com o inimigo"

*Sei que nós, os que vamos à praia — a Villa Gesell ou a Cabo Polonio, a Punta del Este ou a Mar del Plata, a Florianópolis ou a Mar del Sur, a Cozumel ou a Goa —, vamos sempre mais ou menos atrás da mesma coisa: das marcas do que o mundo era antes que a mão do homem decidisse reescrevê-lo.*

*Alan Pauls*, A vida descalço

# Sumário

# I

# Restinga

*para Telma e Christina*

Sai do táxi com pressa, atravessa a portaria do prédio e chama o elevador. Desde que a mãe foi morar com ela, vive aflita para chegar em casa, sempre pensando que algo pode ter acontecido em sua ausência.

Dentro do elevador, e depois no banheiro de casa, sua mente oscila entre os possíveis tons de voz com que diria o que o médico acabara de contar sobre sua mãe, ao telefone. Essa variação vai do imagina vai ficar tudo bem, a gente se vira, até outro tom, mais pesaroso, que inclui olhos cheios d'água e alguns lamentos no fim.

Laura lembra como a mãe cuidou do pai no fim da vida. Ele teve Parkinson; o maior efeito colateral, poucos sabem, não é a tremedeira, mas o enrijecimento dos membros. Ela comprou uma cama hospitalar, ajudava-o a movimentar braços e pernas, lavava-os para não dar escaras. Por isso se irrita quando Laura lhe diz para fazer algo. Sabe perfeitamente: tomar os remédios após as refeições, não esquecer o da pressão. Apertar a bolinha com a mão do braço inchado. Ninguém precisa dizer.

Ela está bem, Laura pensa. Não tem por que se preocupar. Caminha no calçadão dia sim, dia não, no ritmo dela, para combater a osteoporose. Tem as amigas da igreja. É uma mulher baixa, atarracada, cabelo curto e pintado de castanho-claro, passa laquê toda manhã. Diferente de Laura, que puxou ao pai e sempre foi a mais alta da escola, sabe se expressar bem, não é extrovertida mas consegue falar o que sente e pensa. A mãe é direta, usa frases curtas, pisca pouco e encara firmemente as pessoas.

O antigo apartamento da mãe era em Copacabana. Ficava num edifício de pastilhas rosas, era assim que as colegas de escola de Laura se referiam a ele: vamos ao prédio rosa. Mas não recebiam muitas visitas. Uma vez, um primo de segundo grau veio com a esposa, bem mais jovem. A mãe passara boa parte do tempo na cozinha, reclamando da nova mulher dele para a faxineira, enquanto seu marido puxava conversa na sala, mostrando como Laura era inteligente para uma menina de sua idade.

É o movimento do bairro que mantém minha mãe animada, Laura sempre dizia, quando perguntavam por que não a levava para morar consigo logo, depois que o pai faleceu. Pode fazer as coisas dela, tem farmácia perto, supermercado, lojinhas de roupa. É bom manter certa independência.

A mãe decidiu se mudar, aceitando enfim a proposta da filha, quando o dinheiro da poupança acabou. Trouxe algumas coisas para o apartamento: uns porta-retratos, uma pintura com a paisagem de Miguel Pereira — cidade que frequentaram bastante nos anos oitenta —, a cama de solteiro que comprara após a morte do marido, roupas de cama, toalhas, sua cadeira de balanço — a mesma em que dera de mamar à filha, a mesma em que sentira as fortes dores do aborto natural da segunda gravidez. Laura seguiu sendo filha única.

A mãe não gosta nada da Barra da Tijuca, bairro que Laura escolheu para viver por ser mais perto de seu antigo trabalho. Mas pelo menos tem a praia logo ali, um centro de conveniência dentro do condomínio, o ônibus que leva à Zona Sul, a piscina do prédio.

Laura ensaia contar aquilo que o médico disse, mas desiste. Observa a mãe assistindo à televisão, cochilando por alguns segundos e depois abrindo os olhos, assustada. Imagina como ela seria se não tivesse optado pelo corte de cabelo curto logo depois do casamento, o qual mantivera desde então. Lembra-se dela ainda jovem, com aquele cabelo, levando susto por qualquer coisa, e se irritando. O pai brincava, assustava a mulher de propósito na cozinha, na porta do elevador, ao entrar no carro; ela ficava uma fera.

Pensa em sua condição atual, as duas morando juntas: mãe e filha, ambas aposentadas. A mãe recebe a pensão de viúva; seu único trabalho formal fora no açougue do pai, entre os dezoito e vinte anos, até casar com um servidor público e passar a se dedicar apenas à casa. Laura tem a própria aposentadoria, mais robusta — deixou de trabalhar há menos de dois anos, ainda está se acostumando com a ideia.

Aquele meu sonho, a mãe diz. Você sabe qual é.

Desde que Laura era adolescente, a mãe a levava num restaurante cuja vista dá para o começo da restinga da Marambaia. Imagina, filha, a terra vai afinando até lá longe, fica mar dos dois lados. Explicava que ninguém podia pisar na restinga, era uma reserva da Marinha. No ponto mais estreito havia apenas areia. Depois engrossava de novo com terra e mato, e acabava, antes da Ilha Grande. Um dia a gente anda ali em cima, Laura. Sempre dizia isso: um dia a gente vai andar lá. Apontava para o horizonte e desenhava na mesa o formato da restinga, porque dali só se via a vegetação do comecinho, não dava para ter noção do todo.

Laura tinha acabado de dar a notícia do médico, após o almoço que propôs à mãe no tal restaurante. Disse para ela evitar últimos desejos, essas coisas, tudo ia se acertar. Era só a operação, o doutor garantiu que tudo correria bem, e que não precisaria de tratamento depois. E hoje, com tanta tecnologia, ela poderia escrever, mandar mensagens de texto, enfim, ia se virar. De resto, continuaria com os remédios, tendo cuidado com o colesterol e pronto.

A mãe levanta, pede uma Coca zero e vai até o banheiro. Volta olhando para fora, para além de Laura. Preciso ir lá, filha.

O garçom é conhecido de longa data. Traz a bebida e elogia a beleza das duas. A senhora tem uma fábrica boa, diz, devia ter produzido mais umas assim. Pagam a conta, sobem com dificuldade a escada inclinada que leva à rua. Laura pensa que precisa trocar o carro por um mais confortável assim que possível, em breve a mãe vai começar a sentir algum incômodo, principalmente para entrar e sair.

É uma viagem razoavelmente longa. Nas idas ao restaurante, quando pequena, Laura não via a hora de chegar logo. A mãe dirigia muito devagar, o que só piorava a sensação. Parou de dirigir há dez anos, quando atropelou um cachorro que atravessava na faixa de pedestres.

Agora, Laura dirige e a mãe olha pela janela. Como isso aqui cresceu rápido, comenta. Você lembra, filha, aquela época? Era tudo um matagal, não tinha quase nada. Parecia que estávamos indo pro interior, pra outra cidade.

* * *

No avião voltando de São Paulo, o piloto faz a rota de que Laura mais gosta: por cima de todas as praias do Rio, desde antes da restinga. Ela escolheu um assento do lado direito para aproveitar a vista, caso o trajeto fosse esse. Precisou viajar para acertar o contrato com o novo inquilino do pequeno apartamento que comprara lá, anos atrás, quando o trabalho exigia sua presença constante na cidade e estava cansada de ficar em hotéis.

É um voo vazio, no meio da tarde de uma terça-feira. Não há ninguém nas duas poltronas a seu lado. Laura veste uma bermuda e uma camisa de manga curta, que formam um conjunto, e tênis brancos. Imagina-se de saia social e camisa, maquiada, no fim de um dia cheio em São Paulo com um colega ao lado, o laptop aberto para acertarem os últimos detalhes de uma proposta que enviaria ao cliente assim que chegasse em casa.

Após o desembarque, lembra-se de um amigo de longa data que acaba de subir de cargo na Marinha. Liga do táxi, pergunta como se faz para ir até a restinga da Marambaia. Olha, agora tem uns passeios, posso colocar vocês como minha família, ele diz. Vão de barco. É muito bonito lá.

Apesar de sempre ter ecoado a fascinação da mãe com a restinga, Laura nunca tinha pesquisado sobre ela na internet. Acha algumas coisas truncadas. Queria ver uma foto de alguém pisando na parte mais estreita da areia, mas não acha. Muitas imagens aéreas, vídeos dos fuzileiros navais dirigindo uns veículos pela areia, informações que se repetem em vários sites, bem objetivas e geográficas.

A mãe está na igreja, no curso de trabalhos manuais. Vai de

táxi toda quarta-feira, e no domingo as duas vão juntas. Laura pensa nos pequenos objetos que a mãe traz consigo depois das aulas: um espelhinho emoldurado por um mosaico, uma bandeja de madeira pintada, um porta-guardanapos com motivos de peixe.

Conversam bastante quando a mãe chega. Conta as novidades das amigas, dos pastores, Laura escuta com paciência. Você precisa encontrar suas amigas, filha, ficar em casa assim não faz bem. Falo por experiência. Laura diz que agendou para a próxima semana o passeio à restinga, é bom comprar o protetor solar antes que esqueçam.

***

Uma hora e meia ouvindo o motor do barco, até que chegam. Um dos tripulantes cita Tom Jobim: "Longa é a praia, longa restinga, da Marambaia à Joatinga". Isso para informar que aqui temos mais de quarenta quilômetros de praia, diz. Ela se separa do continente pelo canal do Bacalhau. Apesar de pública, o acesso é restrito por ser área militar, administrada pela Marinha. Fazemos exercícios e experimentos com armamentos. Vale ressaltar, senhores, que a área pertence à Força desde 1906. No fim da restinga temos a ilha da Marambaia. Esse nome não é porque ela é cercada de água, não, mas porque tem elevações. O pico da Marambaia é a maior delas, com mais de seiscentos metros de altura. Aqui temos também uma das maiores reservas de Mata Atlântica do Sudeste brasileiro. A vegetação é em grande parte rasteira, com algumas árvores e alguns arbustos de pequeno porte. Podem olhar bem agora, bater fotos. Temos que voltar daqui a pouco. Como foi dito, não é permitido descer lá.

Laura tira algumas fotos com o celular. A mãe, debruçada no parapeito lateral, está toda branca, passou protetor solar em excesso. Veste um maiô antigo, preto com flores brancas. Laura lembra que comprou aquele maiô para o pai dar de presente a ela num aniversário. Pensa naquele dia, a mãe reclamando da espera no restaurante perto da casa deles, sentando no banco do bar, pedindo alguns pastéis. Pra enganar a fome, dizia.

Esperavam um navio mais bélico, com cara de Marinha, mas é uma embarcação bem comum, parece uma escuna. Há cerca de vinte pessoas no passeio. Alguns casais de meia-idade, um grupo de idosas, só uma criança. A mãe está com uma expressão indiferente no rosto, Laura pensa, nem parece estar realizando seu grande sonho. Uma idosa pede a ela que fotografe seu grupo, duas vezes para garantir. Atrapalha-se com a câmera antiga de filme, pede desculpas.

Laura está no andar superior do barco, sentada. Sente um pouco de enjoo. Demora para perceber que os gritos que vêm lá de baixo são por causa da mãe, que se atirou ao mar sem aviso. Desce as escadas correndo, grita junto com os outros. A mãe começa a nadar, desajeitada. Entre as pequenas braçadas dos membros moles e cheios de rugas, os passageiros veem seu corpo roliço afundar um pouco, emergir, afundar de novo. O rapaz que estava falando mergulha com o assistente, trazem-na para o barco, ofegante.

Ensopado, o guia retoma o posto. O vento está gelado. Fala que uma grande preocupação hoje é a questão da elevação do nível dos oceanos. Se aumentarem muito nos próximos anos, pessoal, essa pequena faixa de areia some, e isso aqui vira mais um canal na baía de Sepetiba.

***

A forte pneumonia preocupa Laura, que fica todos os dias

no hospital. Vê as enfermeiras entrando e saindo. Dá comida à mãe, observa a língua dela, fina como a sua, entre um aguaceiro de saliva. O câncer é benigno, o médico disse, mas ainda assim teriam de cortar parte da língua. A operação já estava marcada, providenciaram isso pouco depois de receber a notícia; era dali a um mês. Não conseguiria mais falar, apenas emitir alguns sons.

Coloca os braços da mãe de lado. Laura ajuda no banho, lava as partes íntimas. A mãe reclama de tudo, das enfermeiras, da água do chuveiro, da iluminação do quarto, do calor, da máscara de oxigênio.

Acorda no meio da noite, pede a comadre. Pergunta algo e se anima porque ainda consegue falar. Nunca fui muito de falar, né, filha? Eu sei. Mas, perder esse troço aqui, não gosto da ideia. Laura diz para ela não pensar naquilo, para se concentrar na melhora da situação atual.

Algumas amigas da igreja vão visitar. Uma delas repara na raiz branca do cabelo bagunçado, comenta com outra. Laura escuta a tudo quieta. Também cochicham sobre como está mais fraca, o rosto abatido.

Laura desce para o pátio do hospital. Há muita gente ali, pessoas empurrando cadeiras de roda, famílias inteiras com cara de espera. Ela se pergunta se os outros também a veem com essa cara triste da espera hospitalar, uma expressão que identifica como melancólica e vaga, mas levemente esperançosa. Pensa que todos que carregam esse semblante querem no fundo estar em outro lugar, fazendo outra coisa que não depositar dinheiro na máquina de *snacks*, se frustrar com a mensagem de erro na máquina de café e depois atender à ligação de um parente que mora longe querendo saber o último laudo médico. A preocupação de como distrair crianças numa situação dessas ela nunca teve: quando o pai ficou no hospital antes de falecer, seus filhos já eram mais velhos e se viravam sozinhos.

O ex-marido de Laura chega para fazer uma visita. Traz flores, sempre soube escolher bem as flores, ela lembra. A mãe agradece, cordial. Na época, insistiu muito para que Laura se separasse, mas depois do ocorrido passou a tratá-lo melhor, e inclusive o elogia para a filha. Agora a mãe não se sente bem, responde monossilábica às perguntas que ele faz. Ele entende, diz que precisa ir, deseja melhoras. No corredor, conta para Laura que será pai novamente. Minha mulher já está de seis meses, diz, nunca imaginei que isso fosse acontecer, achei que nosso mais velho fosse me dar um neto a qualquer momento, mas estou animado.

Laura se despede dele na porta do elevador, volta ao quarto. A mãe pegou no sono. Aproveita para dormir também, no estreito sofá de visitas ao lado da cama hospitalar.

Laura, vem cá. Quem tá aqui? Laura? Ela tenta acalmar a mãe, mas a alucinação por conta da febre não passa. Filha, dá a mão. Você pisa no mar do lado de lá e eu desse aqui. Fala pro teu pai tirar a foto. Eliel! Vem cá.

Seu tom de voz vai aumentando, e chama a atenção de uma enfermeira, que demora a achar a veia para aplicar um calmante.

O médico entra com os exames. Temos que tirar água desse pulmão, diz. Laura pergunta se não devem ir a um centro cirúrgico, mas o médico fala que não, é um procedimento de rotina, fazem aquilo sempre, até mesmo os paramédicos na rua. É só perfurar com uma agulha longa o tórax, retirar água da membrana fina entre a pele e o vazio do pulmão, a pleura. Ela vê a mão do médico com a agulha, o rosto dele quando ouve um ruído de ar saindo. Chamam o responsável às pressas.

Aguenta, Laura diz. Fica aqui. Está com a mão sob o pescoço da mãe, que se vira, pisca duas vezes, fecha os olhos. Chegam mais dois médicos e alguns enfermeiros com equipamentos. Laura sai de perto.

A boca da mãe está seca. Ligam de novo, e agora Laura atende. Desce, encontra os filhos. Não consegue dizer nada, o mais novo se adianta e é o único que fala com o agente funerário do hospital. O caixão mais simples, madeira clara, a cruz, sim, mas sem a imagem de Jesus pregado, só a cruz mesmo, por favor. Pode ser uma coroa de flores brancas. Pega o cheque na bolsa da mãe, preenche, pede a ela que assine. O agente pergunta se alguém quer ficar a sós com ela antes de prepará-la para o enterro. Laura, sentada entre os dois filhos, fala para irem buscando o carro. A mãe está muito inchada, parece mais baixa que o normal.

Lembra-se da mãe entrando com ela e o primo às pressas no carro. O marca-passo dele tinha parado de funcionar, naquela época eles não avisavam como hoje. Laura ia atrás e a observava massageando o peito dele, furando todos os sinais de trânsito. Por um momento ele parou de respirar. A mãe repetia que o sobrinho tinha ficado entre a vida e a morte. Laura aprendeu uma palavra naquele dia: tênue. É uma linha tênue, a mãe gritava, você precisa estar sempre atenta!

Do quarto de hospital em que ficaram se via o mar bem longe. Uma estreita faixa azul-escura achatada pelo céu em cima.

# Empire State

Desisti de pegar o metrô, depois do sufoco que passei na ida, a caminho da Estátua da Liberdade. No ônibus de volta, um senhor sentou ao meu lado e puxou conversa. Perguntei se daria para ver o pôr do sol do Empire State, apesar da hora. Ele disse que sim, se eu me apressasse, e me indicou o ponto para descer. Enfrentei aflito a longa fila do elevador após a compra do ingresso, temendo perder o momento.

Ao contrário da previsão dele, acabei tendo que esperar, sozinho lá em cima, três horas e dez minutos. Depois ainda quis ver a cidade iluminada, fiquei mais uns quarenta. Passei a maior parte do tempo observando um casal que sentara um pouco longe de mim e se comunicava em língua de sinais. Ela tinha um sorriso impressionante, quase não sumia do rosto; olhava o tempo inteiro para ele, cujas mãos se mexiam mais que as dela.

Pensei na época em que minha mãe ainda estava viva e me explicava as limitações do meu irmão. Pedro, ela dizia, você precisa ter paciência com o Tiago; não adianta se irritar. Não se exaltava, tinha plena consciência de estar falando com uma criança pequena, que entendia menos que ela, e tentava me acalmar. Eu saía esmurrando as paredes até ficar com a mão vermelha. Talvez ele conseguisse ao menos sentir a vibração da casa, eu pensava.

Meu irmão estudou no Instituto Nacional de Educação de Surdos desde cedo. Nossos pais me colocaram numa aula uma vez por semana, para aprender libras e me comunicar melhor com ele. Os dois já sabiam bem, estudavam desde que o Tiago tinha nascido.

Frequentávamos uma igreja batista no Rio. Íamos todo domingo, todo domingo meus pais brigavam comigo por conta da minha demora em levantar da cama e tomar café. A igreja era enorme, tinha uns três mil membros. Ao lado do pastor ou do cantor principal ficava sempre uma moça bonita, devia ter uns trinta anos, cabelo muito curto e castanho. Era a responsável por traduzir em libras tudo o que era dito. Sentávamos no canto esquerdo do salão, com outras pessoas surdas. O culto começava com música, o que me agradava, e a moça traduzia até as variações dos solos de guitarra, estalava os dedos quando era apenas melodia, fechando os olhos e fazendo pequenos movimentos de um lado para o outro, no ritmo de cada canção.

Uma das coisas que recordo bem é o sinal correspondente à palavra "Jesus", porque era bastante repetido. Com o dedo médio ela apontava uma vez para cada palma das mãos; o gesto indicava onde foram cravados os pregos da cruz, mas só fui entender o motivo lá pelos treze anos, numa pregação sobre Tomé. O pastor contou que, após a ressurreição, Jesus apareceu para os discípulos. Tomé não estava por lá e não acreditou no que lhe disseram. Dias depois, Jesús apareceu de novo, dessa vez com Tomé por perto. O discípulo tocou o buraco feito pelos pregos, tocou as feridas cicatrizadas, e creu. Essa história me vinha à mente toda vez que via a moça repetir o sinal.

Aos domingos, era comum sairmos da igreja e irmos passear num shopping próximo. Meu pai deixava o carro no valet, almoçávamos, eles deixavam eu e meu irmão num desses parquinhos infantis e iam andar. Voltavam cheios de sacolas e apressados, o manobrista trazia o carro, meu pai dava uma gorjeta. Numa dessas, meu irmão cismou com um cachorro no pet shop e nossos pais resolveram comprá-lo.

Derrubou dois abajures logo que chegou em casa, de modo que foi batizado Hulk. Era um bassê hound, cresceu e engordou demais. Babava muito, pulava nas pessoas, tinha um cheiro quase insuportável. Durante muitas tardes, entre meus dez e treze anos, enquanto meu irmão ainda estava na escola, do meu quarto eu observava o Hulk, sozinho no jardim lá de baixo, andando em torno da piscina. Eu não conseguia descer para ficar com ele; só pensava que teria de no mínimo tomar um bom banho depois. Meu irmão, pelo contrário, chegava do colégio e ia direto deitar no gramado, fazendo festa. O Hulk teve catarata, ficou cego e sua vida acabou limitada a um pequeno cercado no jardim, para evitar que caísse na piscina. Um dia a empregada me chamou, desesperada, dizendo que uns bichos estavam saindo dos olhos do Hulk. Desci, vi a cena e telefonei para meu pai, que veio imediatamente para levá-lo ao veterinário. O veterinário disse que provavelmente uma mosca tinha pousado nos olhos dele e depositado ovos; como a catarata causava dormência na região, ele não sentia nada. Morreu dois meses depois.

Bem ou mal, o Hulk era uma forma de ligação entre mim

e meu irmão. O mesmo valia para os hamsters que tivemos. A fêmea do primeiro casal teve filhotes e comeu quase todos. Testemunhamos a redução populacional de um dia para o outro e ficamos muito chocados. Depois, na segunda gravidez, ela ficou entalada em um daqueles tubos coloridos e morreu ali. Trocamos a casinha por uma mais simples, de grade metálica, com apenas uma rodinha de girar.

Já há algum tempo esqueci a língua de sinais. Posso reproduzir uma ou outra expressão, o alfabeto quase todo, mas não sei se conseguiria me comunicar bem. Minha mãe sempre disse não entender o motivo da minha briga com o Tiago, o porquê do meu sumiço. Eu já morava sozinho, com dois amigos, e namorava a Sara, estávamos juntos havia um ano ou mais. Depois de um almoço na casa dos meus pais, fui ficando e eles disseram para eu dormir lá. De noite, entrei no quarto do meu irmão e ouvi uns gemidos altos. Ele estava sentado no computador, masturbando-se com uma foto da Sara de biquíni na praia. Chega, pensei. Já deu. Todo mundo sempre teve pena do Tiago. O irmão que podia menos, coitado. Eu não. Dei um murro na nuca, empurrei meu irmão da cadeira e saí. Acabei terminando com a Sara uns meses depois e mudei para Berkeley logo que consegui a bolsa.

A última notícia que tive dele foi numa carta que mandou oito anos atrás. Logo que mudei para cá ele escrevia muito, mas acho que só respondi à primeira e à segunda cartas. Nessa última, ele dizia que tinha ido para um acampamento dos jovens da igreja como monitor. Mencionou a vez que fomos juntos e eu e outros amigos pegamos a cama de um colega que estava dormindo, no meio da noite, e a colocamos no gramado do lado de fora. Ele acordou lá, e um monitor mais esperto que a gente o escondeu. Ficamos desesperados; foi só na hora do almoço que revelou que o moleque estava a salvo.

Terminava a carta contando que a mamãe comprara uma planta artificial para colocar na varanda. Dizia que era mais prática, que se ela viajasse a planta continuaria lá, que "pelo menos alguma coisa aqui nessa casa precisa ficar".

***

Sempre tento imaginar o vazio sonoro dentro da cabeça de quem é surdo. Em cima do Empire State fazia um silêncio relativo — enorme, se comparado ao barulho no nível da avenida embaixo. O prédio que mais me chamava a atenção no horizonte era o Chrysler, com uma cobertura diferente, parecia uma daquelas plantas da orla do Rio, uma bromélia gigante cuja flor brota numa haste; quando murcha, leva consigo a planta inteira, que morre. Tirei inúmeras fotos de mim mesmo e do horizonte — se quisesse poderia montar um vídeo em *stop motion* da queda do sol.

Eu me preparava para descer, guardando na sacola os suvenires comprados na lojinha, quando senti um puxão nas costas e um grito indefinido. Nunca ia te reconhecer de barba, era o que eu queria dizer para meu irmão, que estava ali na minha frente e apontava a namorada, fazendo muitos e rápidos sinais. Fiz que não com as mãos, disse devagar que não entendia, na esperança de que lesse meus lábios. Precisei pedir ao caixa um bloco de papel e uma caneta. Tô bem, meu irmão escreveu. Esta é a Norah, ela é de Nova York, tem um filho pequeno, tô pensando em vir morar aqui. A gente se conheceu pela internet.

Que bom, respondi. Estou a passeio, fiquei três dias em Boston e amanhã vou conhecer Washington. Boa cidade!!!, ele escreveu, assim, com três exclamações, arregalando muito os olhos, balançando positivamente a cabeça e me impedindo de pegar a caneta. Você tem ido à igreja? Não, além do doutorado tô dando aula na graduação, muita coisa. Ela é da First Baptist, conhece? É uma igreja famosa, o pastor escreve muito. Não, não. E o papai? Você tem ligado pra ele? Tá muito triste desde que a mamãe morreu. Eu sei, mas nos falamos pouco.

Devolvi a caneta e descemos juntos. Ele chamou um táxi e indicou para o motorista o destino no mapa do celular, o endereço escrito em cima. A Norah mora no Upper East, num apartamento antigo, a algumas quadras do Guggenheim. Ao chegarmos ela me indicou o sofá e foi preparar chá. Meu irmão parecia muito entusiasmado, voltou a fazer sinais, só que dessa vez com mais pausas, tentando me fazer lembrar. Estava funcionando um pouco. Sempre achei curioso como os surdos usam expressões faciais quase de forma hiperbólica para indicar o que sentem: uma comida boa, algo nojento, uma pessoa desagradável.

Tomei o chá enquanto a Norah me mostrava as fotos do filho dela, que estava com o pai aquele dia. Um pouco atrapalhado, eu disse em sinais que precisava ir. A Norah me deu um cartão da igreja dela e circulou o horário do culto matinal, num convite para que eu aparecesse. Fiz uma cara de dúvida e saí pela porta da cozinha.

Cheguei ao hotel e liguei o computador. Encontrei o Tiago no Facebook, mas as fotos dele eram bloqueadas. Estava de barba na do perfil, como agora, e pelo visto mudara o status para "em um relacionamento sério" recentemente. Procurei a Norah nos amigos dele. Consegui ver algumas fotos, aparentemente os dois tinham acabado de chegar da Flórida. Em outras imagens recentes estavam com camisetas iguais, de costas para um auditório, em algum tipo de congresso. Tinha um álbum inteiro dedicado ao filho: fotos da festa de seis anos, um dia no parque com amigos e os filhos deles, crianças reunidas numa sala de aula pintando, um desenho dele que mostrava o planeta Terra com olhos e boca, sorrindo, e ao lado uma varinha de condão. Algum adulto deve ter escrito a palavra *Creation* depois, no canto superior esquerdo do papel, junto ao nome dele, Aaron.

A igreja da Norah era um pouco tradicional, usavam um hinário e as músicas eram acompanhadas apenas por um órgão. Paredes brancas e curvas, detalhes em salmão. Algo não me agradava na voz do pastor. Ele tinha escolhido uma passagem pouco conhecida para o sermão: aquela em que um paralítico está num tanque de Jerusalém esperando um anjo descer e agitar as águas. Segundo a crença local, o primeiro a se jogar logo após isso seria curado de qualquer enfermidade. Por conta de sua deficiência, o homem nunca conseguia ser o primeiro. Então Jesus chega para ele e diz: Você quer ser curado?

O pastor repetiu aquela pergunta para a congregação, dizendo que muitas vezes os processos de cura internos são uma questão de escolha, uma decisão. Eu não conseguia entender: o homem *queria* ser curado; Jesus tinha visto as tentativas dele de pular no tanque. Claro que ele queria ser curado. Então por que perguntar aquilo? Todo o peso que ele carregava, a acusação constante de um suposto pecado que explicaria sua paralisia, os tombos ao tentar o mergulho, as prováveis marcas roxas e arranhões, as brigas com meu irmão desde pequeno, ele descendo às vezes a escada e eu me escondendo ao lado, dando um susto empurrando ele no momento em que alcançava o último degrau, minha mãe me repreendendo, meu avô atravessando a sala com os presentes de Natal, até onde ia a compensação pela surdez do Tiago, o quarto escuro, o biquíni, o murro na nuca (talvez tenha sido na cara), eu saindo pela porta e a deixando aberta, a bolsa de estudos, a mudança, a Sara ligando sem parar, dizendo que tinha um recado, o velório da mamãe, como eu ia fazer para chegar lá, só a ida custava mais de dois mil dólares e o voo já tinha saído quando fui pesquisar.

O culto terminou e fiquei sentado observando as pessoas se cumprimentarem. O Tiago tinha ido com a Norah para perto do púlpito e ela o apresentava a alguns amigos. Levantei, fui até eles e me despedi, um pouco desatento. Já ia saindo pela porta lateral quando ele me puxou e entregou um bilhete, devia ter passado o sermão inteiro escrevendo aquilo. Ficou me sacudindo até eu terminar de ler, olhar de novo para ele e dizer que sim.

Ele me fez prometer que escreveria isto. Só para contar do nosso encontro, pediu, não precisa ser nada de mais. Para você saber tudo o que aconteceu antes, pai. Aqui está; de repente manda para a Sara também. Por conta disso, voltei a pensar muito na história de Tomé. Como era possível estar no mesmo cômodo que Jesus e ainda assim precisar tocar nele? Ele achou que era um fantasma, pai?

# Olimpíadas

Ouve um barulho, abre os olhos e vê o pacote vazio de pipoca orgânica se mexendo sozinho. Estava sonhando com uma cena da infância que ainda lembra como se fosse hoje. Ele nas olimpíadas do colégio, segurando a bandeira da equipe azul ao lado de representantes das outras três cores; o da amarela tem síndrome de Down. Sua bandeira é agitada pelo vento e acaba cobrindo por alguns segundos o rosto do menino de amarelo, que começa a fazer gestos exasperados até que consegue arrancar o pano do rosto e, recuperando o fôlego, avança rápido em sua direção, mas é interrompido pelo professor de educação física. Mesmo agora, em sonho, seu coração fica audível, como se estivesse saindo pela boca — do jeito que sentiu naquele dia, vinte e poucos anos atrás.

Anota o sonho ao acordar. Está ficando bom nisso, a psicóloga disse que com a prática ele lembraria cada vez mais. Entrou na terapia há três meses.

Na sessão de hoje conta do sonho e resolve falar mais do assunto. A escola tinha duas sedes, sendo uma exclusiva para pessoas com síndrome de Down. Nas olimpíadas se juntavam, embora a mescla fosse apenas na hora do lanche, nos desfiles de início e encerramento do evento, e em alguns esportes (como natação). Sempre foi melhor nos esportes com as mãos. Era escalado para o gol no futebol, tinha vaga garantida no vôlei e não sabe por que sempre ficava na reserva no basquete.

***

Começou as sessões um ano após a separação. A terapeuta pergunta se o sonho que contou no outro dia se repetiu. Diz que não, mas nessa noite teve um que remetia à mesma época da vida. Tinha seus dez anos e estava debaixo de uma trave num campo de futebol profissional. Olhava para cima e para os lados, aterrorizado, sentindo-se totalmente incapaz de alcançar qualquer bola, calculando que sua distância para as balizas era de, no mínimo, cem metros.

O pai, conta, jogava muito futebol e por isso contratou um treinador de goleiros para dar aulas particulares a ele, duas vezes por semana, sendo essa a única posição em que se dava bem. Aprendeu as maneiras de espalmar (nunca para o meio da área) e de encaixar bolas rasteiras (agachando e encostando um dos joelhos no chão). Treinou tiro de meta. Fazia exercícios de saltar e agarrar uma bola no canto, levantar, devolvê-la e já pular para o outro lado, repetidas vezes. Emagreceu e começou a agarrar como ninguém. No recreio era logo convocado, nem precisava esperar no time de fora. O pai comprava luvas novas, camisas de goleiro de times europeus. Mas o futebol o deixava muito nervoso, ser goleiro implicava muita responsabilidade. No futebol, diz, o atacante pode falhar quanto quiser. Se fizer um gol, vai ser o herói. Já o goleiro pode acertar quanto for, mas se tomar um frango vira o grande responsável pela derrota. Não importa se o atacante perdeu três gols feitos, o único que ele tomou se torna o foco das atenções.

De modo que foi gradualmente desistindo. Primeiro, reuniu todas as forças para dizer ao pai que queria parar com as aulas de goleiro. Depois, foi encontrando compromissos para os domingos de manhã, quando tinha ou jogo contra ou treino do time do clube que frequentavam. O pai fazia cara feia, mas ele arrumou um jeito de ir apagando aquilo da memória dele (e da sua) até o ponto de nem no colégio jogar mais. Acharam um substituto nas olimpíadas — um amigo dele que jogava de zagueiro, mas acabou se encontrando no gol — e nem sentiram sua falta. Começou a namorar a ex-mulher aos dezesseis anos, pouco depois da desistência futebolística.

***

Está acordando, naquele momento em que se imagina fazendo várias coisas e não realiza nenhuma. Pensa em recolher a perna, virar de lado e levantar, mas permanece deitado e cochila mais um pouco. Acorda assustado, achava que já tinha levantado, e agora pensa em virar para a esquerda e programar o despertador para dali a meia hora. Dorme de novo. Acorda uma hora depois, e enfim levanta.

O caminho até a terapia passa obrigatoriamente em frente ao apartamento em que morava com a Tatiana, no Leblon. Ela ficou com o imóvel, ele saiu com roupas, livros e discos para um flat na praia da Barra da Tijuca.

No carro ele lembra, mesmo sem querer, os dias que passaram na Tok & Stok escolhendo móveis. A vontade dela de ter elementos pretos na sala, a cadeira para o computador, ele tinha que ficar confortável, o casamento civil, o *open house* com os mais chegados. Costumavam ir com alguns casais de amigos para a serra, onde alugavam chalés numa pousada e os homens jogavam vôlei num gramado. Uma vez se esqueceram de levar a rede e improvisaram jogando bocha (alguém pesquisou as regras básicas na internet). Lembra como a Tatiana tinha medo de ter filhos.

Ainda não contou detalhes da separação na terapia. Vê a psicóloga abrir a porta e cruzar a sala de espera para pegar um copo d'água. Ela veste um tailleur vinho e uma meia-calça cor da pele. Ainda sentado no sofá, começa a relatar, pegando carona no assunto das semanas anteriores, outro acontecimento que nunca sai da sua cabeça. Um dia, depois da competição de natação das olimpíadas, todos os meninos estavam reunidos no vestiário. Um colega de sala começou a mexer com um garoto com Down, dando tapas na cabeça dele e dizendo para abaixar as calças, rindo alto. Sentiu vontade de empurrar o moleque com toda a força contra a pia, mas ficou onde estava, assistindo ao outro se despir, a gargalhada geral ao redor.

***

Diz que aquele sonho das bandeiras se repetiu três vezes na semana. A cada vez, o rosto do menino correndo em sua direção ficava mais amorfo e amedrontador.

A terapeuta pergunta como se sentia em meio às crianças com síndrome de Down. Normalmente não se misturava muito, ele explica, não ficava tentando interagir como alguns de seus amigos faziam, não dividia o sanduíche, não pintava o rosto deles e procurava não abraçá-los ao comemorar a vitória da equipe. Tinha um medo profundo, quase inexplicável, que ultrapassava o receio que a maioria sente num primeiro momento.

Ela diz que muitas pessoas que convivem com crianças com síndrome de Down sentem algo parecido: é um medo de uma coisa que parece incerta, uma força grande e misteriosa que aparentemente pode se manifestar a qualquer momento, sem aviso prévio. Pergunta por que, entre tantos momentos vividos junto a eles, a cena da bandeira é a que mais o marcou.

— Meu filho é a cara daquele moleque.

Ainda não tinha mencionado que era pai. A psicóloga cruza as pernas, ajeita o cinzeiro na mesa e fixa a mirada num canto.

— O João vai fazer sete anos, Vera.

Ele olha ao redor, esperando que ela diga algo. O consultório tem três paredes brancas e uma vermelha. A única e enorme janela fica atrás de onde a terapeuta senta. Ela se levanta, sobe a persiana translúcida. É uma mulher alta, um metro e setenta e pouco, cabelos com luzes loiras, nariz fino, óculos retangulares de aro preto, menos de cinquenta anos. Ele observa sua silhueta esguia, agora escura contra a luz do sol.

— Semana que vem a gente fala mais disso. Vai lá.

***

Não sabe dizer ao certo por que a Tatiana quis se separar. Tinham perdido o contato com os colegas da escola e ele nunca gostou dos outros amigos dela, todos haviam cursado design ou belas-artes e a única coisa que alguns tinham em comum com ele, por sorte, era que jogavam vôlei. Isso tornava a convivência em viagens um pouco menos desagradável. De resto, estava sempre por fora das conversas, desenvolvera um modo de desligar a atenção no meio de diálogos longos. Talvez por isso.

Conta que a pediu em casamento no ano em que se formaram, no ônibus que levava da faculdade dela ao campus de economia da UFRJ, onde ele estudou. Foi uma recepção simples, para uns cinquenta convidados, na casa dos pais da Tatiana.

Talvez ela tenha pensado em separação por achar que ele

se interessava pouco pelo João. Quando o menino nasceu, a avó, mãe dele, não o segurou no colo. Procuraram vários médicos, o sogro bancou a melhor escola. Sua mãe se acostumou depois, mas a relação entre ela e a Tatiana mudou.

Uma tarde, a Tatiana chegou esbaforida à sala, o João chorava muito e ele, por sua vez, estava tirando a poeira dos discos na estante. Ela começou a gritar, abriu a porta da varanda e se debruçou no parapeito com as mãos apoiadas, elevando o corpo num movimento de ginástica olímpica que tinha aprendido na infância. Usava um vestido velho, de ficar em casa, e estava sem calcinha. Ele foi até lá e a puxou com força, amparando-a com os braços e as coxas. Mais ou menos um ano depois ela veio com a história do divórcio.

***

Entra num café perto do apartamento da Tatiana para fazer hora. Está um pouco adiantado para buscar o filho.

Vê de longe as duas empregadas e o João voltando de um passeio com o cachorro. Deram a coleira para o menino segurar, provavelmente só naquele quarteirão. Nenhum dos três o enxerga acenando, ele paga a conta às pressas, entra no prédio e corre para alcançá-los ainda no térreo. Sobe para pegar a mochila, que já estava pronta. Uma das empregadas informa que a Tatiana não está em casa.

Os dois estão no carro, ouvindo Dire Straits. O João adora "Sultans of Swing", sempre que toca começa a se mexer e sorrir, por isso ele sempre coloca esse CD. Tira uma das mãos do volante e faz cócegas na perna do filho, no banco de trás. Depois do segundo túnel do elevado do Joá, vê a placa com os dizeres SORRIA, VOCÊ ESTÁ NA BARRA e se lembra do tempo em que era só isso, sem patrocínio, só a saudação simpática que lhe trazia certa alegria toda vez que passava com os pais por ali. Teria ficado na Barra mesmo após o casamento, mas a Tatiana foi criada na Zona Sul e insistiu para procurarem um apartamento lá.

— Vamos parar aqui na praia antes de ir pra casa, tá, João? Vemos o pôr do sol e o pessoal jogando vôlei, você adora, né?

Estacionam perto do calçadão, do outro lado da rua. Ao abrir a porta, dois homens armados chegam, falando para ele sair do carro e entregar a carteira e o celular. João grita muito, tenta se desfazer do cinto, mas não consegue. Os assaltantes dizem que vão levar o menino e deixá-lo a algumas quadras dali. Ele argumenta, diz que é uma criança especial, que por favor levem tudo o que quiserem mas o deixem em paz. Solta o cinto do filho rapidamente, puxa-o para si e sai correndo com ele no colo, sem olhar para trás. Os homens entram no carro e arrancam.

João abraça sua perna e continua chorando. Ele fica um tempo parado, o horizonte está laranja e as silhuetas escuras passam de bicicleta e a pé no calçadão. Caminham até a delegacia mais próxima, ele presta queixa, vão para o flat e deitam logo em seguida, juntos, na única e enorme cama do apartamento. Estão exaustos, não falam quase nada. João dorme logo, mas ele passa a noite inteira em claro.

***

Vera pergunta o que passou em sua cabeça durante a noite que não dormiu.

Desde que o João nasceu, oscilam nele dois sentimentos contraditórios: o amor pelo filho, é claro, e algo de que tem muita vergonha, e ele confessa agora pela primeira vez em voz alta: a vontade de que o filho não tivesse nascido, de poder ficar livre dele. Chora ao dizer isso, mas a terapeuta o incentiva a continuar, diz que essa mistura é comum em todos nós, que não é fácil, mas é necessário falar sobre pensamentos como aquele. Ele diz que, no assalto, o medo de perder o João parece ter sido maior. Era isso que pensava na noite que passou em claro: preferia manter o João perto de si a perdê-lo, ou a deixar que ele se perdesse.

Ela faz que sim com a cabeça, e sorri. Diz que as experiências traumáticas que nos acontecem têm às vezes esse poder de extrair o que há de melhor e de pior em nós. A frase soa um pouco clichê, talvez não esperasse algo assim dela, sempre mostrando como os acontecimentos e as coisas não seguem regras preestabelecidas, nem se prestam a generalizações e afirmações preto no branco.

De pé na porta do hall, Vera avisa que precisa remarcar a sessão da semana seguinte, por conta de um congresso. Ele diz que tudo bem, é até bom porque a Tatiana, justamente naquela terça, não pode pegar o João na escola; se viesse, teria de sair correndo por causa da distância.

***

Chega pontualmente às cinco para buscar o filho e recebe a circular convocando para uma reunião de pais. O colégio comprara um terreno contíguo e estava acabando de construir nele três quadras poliesportivas e duas piscinas, uma funda e outra rasa. Iam explicar o programa esportivo que planejavam.

Só percebe que Vera está atrás quando ela pousa a mão em seu ombro.

— Túlio. Quer fazer alguma coisa depois de deixar o João no Leblon?

Dirigem pela Lagoa-Barra, primeiro sentido Zona Sul, até a casa da Tatiana, depois para a Barra da Tijuca. Ele sugere uma cerveja no quiosque em frente ao flat, na orla. Está trânsito. Não conversam, apenas ouvem o rádio. Anoitece quando estão passando pela Rocinha.

— Foi aqui perto o assalto — ele diz, após estacionar na garagem do flat. — Nunca mais paro lá fora.

Atravessam a rua e sentam nas cadeiras amarelas de plástico. O quiosque também é todo amarelo, o telhadinho encimado pela logomarca da Skol.

— Não foi no congresso?

— Saí no meio.

— Entendi.

— Túlio, não precisa ter medo disso.

— Do quê?

— Disso, de ser pai. Teu filho vai viver as coisas. Vai ser bom ficar com ele, você vai ver.

— Eu sei. Olha ali.

— Tem alguém lá? Não enxergo.

— Não. O reflexo dessa luz branca na areia e na água. Acho mais bonito assim do que de dia.

Caminham pela praia. Veem os postes de madeira pintada sem as redes de vôlei, as marcas serrilhadas dos pneus dos caminhões de lixo na areia.

O apartamento dele é um quarto e sala com carpete e sem vista para a praia. Vera sai do banheiro e tira a camisa social. Tem ombros de nadadora, ele pensa, enquanto desata o sutiã preto dela.

# II

# Violeta

1.

Miguel Angel era um dos primos do meu pai, um tupamaro que desapareceu durante a ditadura uruguaia. Meu nome de batismo, portanto, é uma homenagem. Por muitos anos ignorei a história da minha família, os vinte e dois anos que meu pai passou em Montevidéu antes de se mudar para o Rio, Miguel Angel etc. Aprendi sozinho o espanhol que nunca fizeram questão de me ensinar.

Gosto de pensar que Miguel Angel não tinha medo: olhava-se no espelho todos os dias pela manhã, pegava as armas, fazia duas ou três ligações-código

— *Ahora el pájaro ya vuela sólo*

e tomava seu chimarrão à tiracolo, dizia adeus à filha Ximena que confiava a meu pai e ia se encontrar com os companheiros de luta. Violeta, a mãe de Miguel Angel, foi presa certa vez por conta das atividades ilegais do filho, sua cabeça nos galões d'água, os oficiais provocando ao despi-la

— *Miren que no está tan vieja así*

e a apertando, dizendo que seu filho havia sido capturado e o estavam torturando até a morte, mas ele não contava, então era melhor que ela contasse para que aquilo tudo acabasse. Até que chegou à mesma prisão uma companheira de Miguel Angel, e a Violeta a fez prometer que, se saísse dali antes dela, procuraria alguém de sua família e pediria que lhe escrevesse relatando o estado de seu filho. A moça deu de cara com meu pai no segundo dia depois da soltura

— *No puedo creer que te encontré, tengo algo a decirte*

explicou tudo e disse que a Violeta sugerira um código: como ela costurava o tempo inteiro, agulhas indicariam que Miguel Angel estava bem, e novelos de lã que ele conseguira sair do país. Meu pai escreveu à tia que seu neto Pablito nascera e que estava precisando de roupas, por isso enviava lã e agulhas

— *Ahora el pájaro ya vuela*

e a Violeta pulava de alegria, os guardas sem entender relendo uma duas três vezes a carta, e a Violeta dançava nua pela prisão

— *Miren que no está tan vieja*

meu pai aluno de colégio militar percorrendo os quartéis, perguntando por uma senhora que se chamava Violeta, Miguel Angel havia saído do país, o novelo de lã, o Chile ainda sem ditadura

— *No puedo creer que te encontré*

a Violeta de volta em casa, fazendo casacos, o Chile agora sob regime militar, a ausência de notícias. Penso que a essa altura Miguel Angel já havia sido capturado, os galões d'água, o silêncio.

Fui à antiga casa na qual minha avó e a Violeta moraram grande parte da vida, no Prado, onde eu comia uvas da parreira que ficava sobre a pérgola do jardim dos fundos, numa Montevidéu cinza e longe do centro. Miguel Angel queria sua Montevidéu sem milicos, minha avó nervosa com mais uma inspeção da polícia do governo em sua casa

— *¿Hijo, hasta cuando esto va a durar? Por favor no te metas con estas cosas como tu primo*

meu pai tratando de acalmá-la, dizendo que ele não sabia de nada, que não pretendia se envolver, minha mãe grávida, a mudança para o Rio

— *Ahora el pájaro*

minha avó consolando a irmã, que iam encontrá-lo tão logo acabasse aquele pesadelo militar, que ele estaria no Chile ou talvez na Bolívia, Miguel Angel sempre fora esperto embora um pouco desbocado, meu novo casaco de lã

— Filho, quando vim do Uruguai já não tínhamos notícias do meu primo

(eu ouvia com toda a atenção)

o Alzheimer da Violeta, as visitas ao asilo, a Ximena ganhando a pensão dos desaparecidos, o chá da tarde, minha avó

— *¿Viola, te acordás de cuando Miguel Angel era chiquito y decía que sería capitán de un navío?*

minha tia-avó concordando com a cabeça, colocando leite no chá

— Filho, quando vim do Uruguai já não

a casa do Prado, a parreira do quintal, as uvas, o Alzheimer

— *Viola, te acordás de cuando Miguel Angel era chiquito*

meu batismo na igreja de São Conrado, o calor do Rio de Janeiro, cresci ouvindo esporadicamente o espanhol que me esforçava em aprender

— Filho

no avião para o Rio o jantar era nhoque com molho de tomate, nada comparado ao que minha avó fazia

— *Viola, te acordás de cuando Miguel Angel*

pousei no Galeão e chamei um táxi, o chimarrão do taxista gaúcho

— Veio de onde, patrão?

conhecia o Uruguai e a Argentina também, claro, era inverno no Rio de Janeiro, fazia um frio incomum e meu casaco de lã estava no porta-malas do carro.

2.

Quando ingressou na Escola de Belas-Artes, Miguel Angel provavelmente não sabia o que o esperava, o golpe militar, a vida de revolucionário. No Chile, tornou-se chofer da embaixada da Finlândia e, com o apoio da namorada finlandesa, ajudava uruguaios a fugir, a ditadura também por lá, imagino que por isso se refugiou na Argentina, o Partido por la Victoria del Pueblo, a prisão. Dias depois seria colocado no segundo voo da morte: os presos políticos dentro do avião, a rampa de lançamento abrindo e logo todos no ar girando, o que ele pensaria naquele momento

(na Violeta, na casa do Prado, na filha?)

meu pai

— Sempre tive vergonha de ter estudado no colégio militar, meu primo que abriu meus olhos

chorando ao me contar, disse que não tivesse vergonha, que por vezes não enxergamos mesmo

(descendo em queda livre)

meu pai abrindo os armários com os álbuns de fotos, hasteando a bandeira no colégio

— Meu primo que abriu meus olhos

já no Rio ligando para a mãe, estava tudo bem e ela em breve poderia ir visitá-lo, a passagem de ônibus era barata, era atravessar o litoral do Brasil de preferência no inverno por conta do calor, Miguel Angel girava no ar, o avião distante, o telefonema da Violeta

— *Chiche, tu primo desapariciό*

e ela depois percorrendo o Chile e a Argentina atrás do filho, prestes a embarcar agora para a Bolívia e minha avó

— *Viola, no te vayas, ¿no ves que Miguel Angel ya no está?*

desistindo de convencê-la, servindo mais leite no chá

— *Chiche, tu primo*

(caindo numa velocidade cada vez maior)

— *Chiche*

eu tinha o costume de ir para o quintal da casa do Prado e ficar sentado no balanço, olhando durante muito tempo a parreira com sua sombra cheia de bolotas, a cachorrinha Blacky atrás de mim, a Violeta

— *Miguelito no tengas miedo, ella no muerde*

falava um espanhol rápido e embolado, mas isso entendi

— *Miguelito no tengas miedo*

o nariz curvo dela, as cócegas, e eu pedindo que parasse, meu avô Totito tinha um armário cheio de tralhas e fabricava espadas e escudos de sucata pra mim

— *Touché*

agachando-se para lutarmos de igual para igual, jogando-se no chão, estava derrotado e eu era mesmo o mais bravo cavaleiro que já se vira naquele quintal. Lembro-me de vê-lo jogando cartas com o marido da Violeta, depois a venda da casa, as bengalas encostadas na poltrona branca

— *Viola no te vayas*

mudaram-se para Pocitos mas por sorte o asilo da Violeta era perto, nos dias que a levavam para casa ficava costurando no canto da sala, o Alzheimer e as perguntas sempre

— *¿Telma, donde está mi hijo?*

sempre

— *Telma*

e mais leite no chá

(a queda livre, o mar cada vez mais perto

— *Touché*)

Meses depois encontraram alguns corpos na baía de Cabo Polonio, mas Miguel Angel continuou desaparecido, voltei ao Uruguai e a Violeta no aeroporto

— *Miguelito*

feliz por nos ver, me fazendo cócegas

— *Miguelito*

vi uma foto dela com vinte anos debruçada num parapeito, botas até os joelhos, teria andado a cavalo naquele mesmo dia, encarando o vento forte de Lavalleja, meu pai fechando o álbum, guardando-o no armário

— Sempre tive vergonha

o mar de Montevidéu, nunca entendi por que quase ninguém mergulha, ficam apenas no calçadão tomando o mate, talvez porque tenham visto os corpos chegando à beira da praia em Cabo Polonio, talvez por causa da água marrom, quando vou à *rambla* e vejo a areia vazia sinto uma pena, o mar sem ninguém, as pessoas na orla olhando em direção ao horizonte como se vissem algo, como se as ondas fossem trazer alguém que não veem há muito tempo, como se quisessem mergulhar mas não conseguissem.

3.

Voltar do Uruguai era sempre diferente de regressar de outros países. Dentro do avião, eu ficava com meus olhos fixos naquele prado vazio, uma imensidão plana que se estendia até o horizonte. Mirava aquele deserto verde, pensando como era possível.

Antes, a caminho do aeroporto com meu tio no carro, minha atenção se deslocava lentamente pelas construções históricas da Ciudad Vieja, o porto, o mercado, a *rambla* repleta de pessoas tomando mate no fim da tarde. Acho que o trajeto inteiro leva uma hora, mais ou menos. No avião estacionado no pátio, penso naquele país, no efeito que sempre teve em mim. Parece-me que a causa não são os prédios do centro antigo, nem o sol da tarde nos bancos de pedra vermelha da *rambla*. Talvez sejam as pessoas e tudo o que já me disseram, que o Uruguai era assim mesmo, ah, o tempo em que o Zitarrosa ainda estava vivo etc., os ex-tupamaros. Talvez sejam os restaurantes e seus garçons idosos (os melhores), tomar pomelo em garrafas de vidro. Imagino Miguel Angel comendo num desses bares com a Violeta, dizendo que seria capitão de um navio, ela pedindo ao garçom

— *Un fainá y dos cortados*

(o marido chegaria logo, logo). Meu pai abrindo os álbuns, o colégio militar, a vergonha.

Meus olhos continuam fixos no imenso prado vazio ao redor do novo aeroporto de Carrasco. O segundo voo da morte, Miguel Angel despencando pelo ar. Após a decolagem, não consigo evitar o choro quando vejo, mais uma vez, os enormes quadrados demarcando as plantações, com seus diversos tons de verde. Poderia voltar, sim, a Violeta me esperaria no aeroporto

— *Miguelito*

e me faria cócegas até eu não aguentar mais.

## 4.

Quem era a Violeta? Penso nisso enquanto caminho pelo jardim frontal daquela casa no Prado, onde ela e o marido viveram colados com meus avós, e a Marta, filha da Violeta, nos fundos com os gêmeos. Acho que, se conhecemos alguém apenas quando crianças, a memória que temos dessa pessoa fica diferente. Como se não a tivéssemos conhecido o suficiente e faltasse saber algo que uma criança teria sido incapaz de compreender. E que vem a existir quando alguém, anos depois, nos conta sobre ela.

Da casa do Prado me lembro também do sol entrando pela cozinha, minha avó preparando milanesas e *ensalada rusa*, o quintal lá fora tão convidativo. Antes de ir para o asilo, a Violeta já chegava falando alto e rindo, rindo muito de alguma coisa, o que logo provocava gargalhada geral. Eram, minha avó e ela, uma espécie de Marta e Maria: enquanto a primeira vigiava o molho no fogo, a outra ficava na mesa com a gente, dando risada e contando algum *chiste*. Comigo ela adorava brincar de "medir o braço": como o dela era maior, alcançava com a mão minha axila e começava mais uma sessão de cócegas. Lembro poucas coisas que ela me falou diretamente, mas sua risada tenho perfeitamente registrada.

Depois o começo do Alzheimer, o silêncio cada vez maior. Então ela apenas sorria, não gargalhava mais. Causava-me uma impressão muito forte essa risada silenciosa; parecia querer rir de algo, mas não lembrava exatamente o quê. Conservou por isso o sorriso no rosto, e assim nos observava quando chegávamos por lá.

No dia em que faleceu não pude ir ao Uruguai. Meu pai, sim, ligou de lá, muito triste. Acho que, se eu tivesse ido, teria pedido que a maquiassem de modo que seus lábios formassem esse sorriso. Seria o ápice da risada silenciosa. Soube que o cemitério onde ficou era praticamente um parque, de tão grande e arborizado.

# Paranoá

— Ronaldo, tava aqui pensando. Você nunca mais ficou enchendo o nosso saco com essa casa. Quando comprou o terreno aqui não parava de falar que do segundo andar ia dar pra ver o Paranoá, que da praça dos Três Poderes eram só quinze minutos pra vir e tal. Comprou a casa há o quê, dez anos?

— Quer o quê, Petrus? Meu pai quando veio pra Brasília era pior. O canteirão de obras. Ele me dizia que a gente ia ver a cidade crescendo, e viu mesmo. E é quase isso aí, faz onze anos que comprei aqui.

— Voa, hein?

— Quando meu pai veio nem tinha estrada direito. Eu era garoto. Tudo aquela terra vermelha.

— O cara era pioneiro mesmo. Impressionante, nem dava pra chamar de cidade, tinha que ser muito doido pra vir com a família pra cá.

— Nando, Sheila. Lembram o enterro do vovô? A gente dirigiu quinze horas direto aquela Belina, daqui de Brasília até São João del Rei. O carro chegou vermelhinho. Que coisa. E a estrada péssima. Chegamos lá e o velório já tava rolando. Na saída, alguém me disse: "Ah, esse velho gostava de uma pinga".

— Não lembro nada disso que a Marlúcia tá falando, Nando. E o vô não bebia era cerveja?

— Marlúcia, a gente não foi com todo mundo. A Sheila ficou. A mamãe também. E o vô gostava era de uma cerveja, mas nunca vi ele embriagado.

— Duvido, Nando. Mas essa coisa de carro, né? Sabe meu filho, o que mora lá no Rio? Só sai de táxi agora. Tem Lei Seca em tudo que é canto, aqueles balões horrorosos, o trânsito. Nos Estados Unidos não é assim. Fui pra lá há pouco. Eles param você e pedem pra andar reto, fazer o quatro com as pernas etc. Se passar no teste, tá liberado. Aqui essas multas absurdas. E fora o preço do táxi, ele tem que ir da Barra pra Zona Sul de madrugada, uma fortuna.

— Aqui agora colocaram esses zilhões de radares. Eixão vazio e tu tem que andar a sessenta. Mas e esses dois aí, hein, Ronaldo? Tua sobrinha. O marido é gente boa.

— É, pô. Recém-casados. Só no amor. Sabe como é, Petrus. Chegaram ontem aqui com o pai. O filho da Sheila vai casar também, né?

— É, em dezembro. Vocês tão convidados, já sabem.

— Essa casa aqui é muito enorme mesmo. Brancona. E aquelas luzes ali, novas? Comprou onde, Ronaldo?

— São importadas, Nando. É daquela loja na W-3. Não é, Marlúcia? Amor?

— Isso, amor.

— Você viu a sauna nova, Nando? Chega aí, tem uma surpresinha lá.

— A reforma demorou?

— Normal. O empreiteiro era bom. Nem me preocupei muito.

— Piscininha dentro da sauna.

— Melhor coisa. E a água é quente também.

— Gostei, Ronaldo. Qualquer dia tu me chama pra gente curtir uma sauninha.

— Nando, senta aqui. Por que esse gel no cabelo da Marlúcia? E o guardanapo no copo de uísque dela ensopado.

— Deixa ela, Sheila. Tá se divertindo aí. Na boa. Vem tanto diplomata aqui na casa que quando tamos só nós ela pode relaxar um pouco.

— Não aguento. Ô Marcos, vem cá também, não deixa tua filha e o marido sozinhos, que o Petrus não cala a boca, tá enchendo eles.

— Imagina, Sheila. Conversando normal. Ei, moleque. E os filhos de vocês, pra quando? Calma, brincadeira, casaram faz pouco, né? É que eu tinha uma coisa com meu pai. Só via ele nos fins de semana, era separado da minha mãe. E tinha um restaurante ali em Copacabana que a gente ia depois da praia, lá pras três da tarde. A gente comia um macarrão ao alho e óleo. Já provou isso? Bem-feito é uma delícia. Depois a gente ia pra casa, ligava o ventilador, ficava na cama só de cueca. Bom demais. Pra mim, ver meu pai era isso: ir à praia e comer o macarrão do Carlos, que era amigo dele. Quando virei gente grande o primeiro lugar que trabalhei foi na Petrobras. Por isso nego me chama de Petrus aqui. Essas coisas.

— E se eu te disser que lembro do teu pai lá do Rio?

— Não brinca, Ronaldo. Tu viu o cara duas vezes, no máximo.

— É sério. Tinha aquele cavanhaque cheiaço, preto. Não era?

— Isso aí. Só andava de regata.

— Que mestre. Meu pai, o contrário. Sempre engomado. Adorava o Juscelino. Ficava falando pra gente que aquilo era ter visão de futuro. Que o cara era um visionário. E visionário, ele dizia, era quem enxergava as coisas antes. Sabia que podia dar certo e fazia de tudo pra que desse.

— Moleque, escuta essa. Meu pai, esse da regata, me dizia assim depois: filho, quantas tu vai botar no teu carro hoje? É. Eu e um amigo, a gente ia com a janela aberta pelo calçadão, bem devagar. Acenava pras meninas, dava um alô. Mas naquela época não era assim que nem hoje. Elas vinham era pra conversar. Aqui ó, só no papo. Gogó.

— Tá ótimo o tiramissu, Marlúcia. Como você fez?

— Ih, Sheila, depois te explico. Mas juro que não é difícil. Aprendi com aquela minha amiga, a que tem um restaurante em Campos do Jordão.

— Sei. Muito bom mesmo. O vô não tinha um negócio em Campos também?

— Ele tentou, lembra? Mas não deu certo. Papai ficou furioso com a grana que ele gastou. Era uma dessas revendas de couro. E isso já com o quê, quase setenta? Depois voltou pra Del Rei e não saiu mais de lá.

— Vai entender essas vontades. Deu saudades do vô agora, hein?

— É mesmo. E o papai ruim desse jeito.

— Daqui a pouco é a gente, pô. A vida segue, não é o que falam aí?

— Sai fora, Petrus, não fala desse jeito.

— Mas não é a verdade? Daqui a pouco vocês é que vão estar cuidando da gente, menina.

— Ela tem nome, esqueceu?

— Desculpa, Sheila, desculpa, menina. Sou ruim de nome, cabeça não funciona pra isso.

— Deixa pra lá, Petrus. Mas esse doce tá bom demais, Marlu.

— Depois você anota a receita, Sheila.

— Ronaldo, é bom que você inventou uma tradição. Esse jantar. Você criou isso. A gente deu sorte que você casou com minha irmã. Assim não se afasta. E o Marcão aqui. Parabéns pela filha. O casamento e tal.

— Valeu, Nando. Mas é, a gente pintava aí nessas ruas. Eu que não deixava minha irmã solta daquele jeito, ainda mais com gente tipo meu irmão por perto. Chamavam ele de Ronaldão, tu lembra? Mas, enfim, essas coisas da vida. Hoje vindo pra cá fiquei vendo o lagão de noite. Bonito pra cacete. Paranoá, deve ser indígena. As luzes parecem que tão dentro da água. Nem acho a praia tão melhor. Depois olhei pra frente e quase ceguei com aquele posto de gasolina que tem na rua ali, sabe? Uma claridade absurda. Me lembrei da gente na beira do lago, esperando pra velejar. E depois de noite. Aquelas noites, caceta.

— Não fala muito do lago. A Sheila aqui.

— Foi mal, Nando, foi mal.

— Eu te explico, moleque. Senta aqui. O outro filho da Sheila, o mais novo, teve um acidente feio de carro. Tava batendo uns pegas de madrugada. Disseram que já fazia isso havia um tempão, ninguém sabia, mas naquela noite resolveram que iam atravessar aquela ponte nova, JK. Uma que parece o monstro do lago Ness saindo, sabe? Então, o rapaz vinha rápido demais, capotou feio e saiu voando pra dentro do lago. Morreu na hora, dizem. Foi uma tristeza absurda, você não tem noção. Todo mundo aqui. A gente tinha um jantar desse no fim daquele mês e desmarcamos. A Sheila até hoje não superou o troço, acho. Foi sete anos atrás isso. Repara que ela é a que menos fala, se irrita com tudo e tal.

— Petrus, para de falar de coisa triste.

— Era só pro moleque entender a comoção toda, Ronaldo.

— Foi terrível mesmo. Meu sobrinho também, pô. Vieram os bombeiros, com guindaste, com não sei mais o quê, pra tirar ele e o carro do lago. O estado do garoto. Nunca mais esqueci. Fui com o Nando, ainda bem que ele não deixou a irmã ir. Na boa, prefiro nem lembrar. E só de pensar naqueles merdinhas amigos dele fico cheio de raiva.

— Era gente boa o garoto, Ronaldo. Carinhoso com todo mundo e tal. A gente tem que lembrar as coisas boas dele. Não adianta.

— O pior é que passo por esse lago o tempo todo, vindo do trabalho, sei lá de onde mais. E a gente vê ele daqui direto. De dia o sol batendo, de noite as luzes e tal. Não teria comprado o terreno se isso já tivesse acontecido.

— Não dá pra ficar se lamentando por isso, Ronaldo. Deixa quieto. Aproveita o que tu tem. Baita vista aí. Mas, hein, pessoal, retomando o assunto. Que época aquela, que a gente saía junto de noite, ficava fazendo serão por aí. Não volta mais. Mas eu sou *forever young*, diz aí, moleque, já percebeu, né? Tá vendo esse DVD? Teu sogro que deu pro Ronaldo aqui. É, teu tio também curte. Concerto em homenagem ao George Harrison. Esse aí, sim. Hoje nego não sabe mais fazer música. Sai um monte de bosta. Quero ver fazer igual. "Something", e aquela da guitarra que tem o Clapton, o escambau. Aliás, o Clapton toca aí com os caras. Tem o filho do George também, igualzinho a ele. Muito impressionante.

— Vocês tão morando no Rio mesmo?

— É São Paulo, Sheila. Só casaram lá, não foi? Boa cidade pra casar. O visual.

— Calma, Nando, ninguém tinha me falado, ué.

— Eu não sei se moraria de novo no Rio. Talvez até. Mas não reclamo daqui. Faço as coisas. O pessoal aí. Minha mulher que se exploda. Quis se separar e agora teve que arrumar onde morar lá na Asa Norte. Eu que não saio do meu apartamentinho.

— Não começa, Petrus. Vai dar tudo certo. E apartamentinho é sacanagem, hein? Aquela janelona. É espaçoso, pô. Como você chama aquilo de "inho"?

— É grande mesmo. Mas explica pro teu genro onde ficam as coisas em Brasília, Marcão. Senão ele vai boiar. Filho, você já passou pela Esplanada dos Ministérios de dia? É bem bonito. E termina na Praça dos Três Poderes. Depois tem ainda o Alvorada, e o lago, que eles estavam falando. Aqui a gente tá depois dele.

— Sheila, ele sabe, para. Deixa o Marcão também. Passa a torta de novo, vai.

— Chega de comer, Nando. Lembra do teu açúcar. E não é torta, é tiramissu.

— Tá parecendo a ex do Petrus, quando começou com aquela história de Natura. Tá doido. Era o tempo inteiro falando mal disso, daquilo, qualquer comida. A saúde e tal. Você comprou aquele monte de lixo, né? Não adiantou pra nada, fala sério. Pode falar.

— E aquela voz, né? Ontem no aeroporto tinha uma funcionária com a voz igual à dela, chamando pro voo. Voz de pato. O Santos Dumont com o ar quebrado, um forno, imagina. Fizeram o negócio todo, a obra e tal, maior esforço, pra criar uma estufa maldita. Não dá pra acreditar.

— Eita, Sheila.

— Pois é. Mas enfim, uma ficava falando com a outra. Deviam estar combinando: "fala isso, mas fala bem alto, mais, mais, pra todo mundo entrar logo". O sistema de som lá é uma grosseria. E ainda mudou o portão, a gente teve que descer a escada e pegar o ônibus, sabe? A pessoa vai visitar o filho e passa por tudo isso.

— Bom esse café, Ronaldo.

— É daquela maquininha de expresso, Nando. Você coloca a cápsula e em dois minutos sai o negócio. Marlu, meu amor, fala pra Jô tirar os pratos aqui.

— Vamos indo então?

— Calma, tem o licor.

— Licor o vô bebia.

— Só cerveja, Marlúcia! Não sei da onde você tá tirando essas coisas hoje. Você é que tá bebendo de tudo, aparentemente.

— Sheila, não vai brigar agora com ela. Desfeita. O Ronaldo aqui, na casa deles. Você volta pro Rio terça, Marcão?

— Isso, mas a gente se vê antes, Nando.

— Beleza. Tenho que ir indo mesmo. Preciso trocar de carro com o Gui ainda. Ele tá usando o meu às vezes porque o dele tá dando problema, ainda não consertou. Imagina, coisa que meu pai nunca ia permitir. Mas hoje é tudo diferente, sei lá.

— Já falei pra você ficar de olho nessa coisa de carro com teu filho. E já falei pra não ficar lembrando as coisas do meu.

— Eu não disse nada, minha irmã. Desculpa de qualquer jeito. Tchau, Petrus. Cadê teu genro, Marcão? Ah, vindo ali.

— Vou mostrar pra ele aquele lugar no lagão que eu tava falando, Petrus.

— Passa ali pelo clube de regatas. Ou amanhã. Eles vão curtir ver. Leva na Hermida também. Peraí, Nando, lembra que tô de carona contigo. Os velhos sem mulher voltando junto, piada. Ô moleque. Parabéns pela esposa. Teu tio, porque agora é tio, né?, só fala bem dela. E tu é gente fina. Guarda meu nome: Petrus. Não tenho Facebook, mas a gente se vê aí. Putz, nunca gostei de despedida.

— A gente marca antes do Marcão ir pro Rio. Só os machos.

— Beleza, Ronaldo. Tchau então, moleque. Mas eu tava contando. Odeio fim, despedida. Dá um negócio. Quando eu era garoto, depois de comer alpiste, colocava o bolachão do Led Zeppelin. Conhece isso? O Led e o bolachão? Desse tamanho. "Stairway to Heaven" era a última música do lado B. Acabava de repente, e eu ficava deitado no chão, a cortina do quarto fechada, pensando que viagem era aquela, porque acabava daquele jeito. Acho que era por causa do tempo que podia ter. Naquela época cabia pouca coisa no disco. Acho que tiveram que parar a música do nada para fazer caber.

# Cruzeiro

1.

Se eu não estivesse na proa deste navio de cruzeiro agora, com o vento gelado do Atlântico na cara, provavelmente estaria em casa, colocando uma música para tocar e a sopa no micro-ondas.

Todos já se concentram lá dentro, hoje tem mais uma festa que celebra o incrível fato de estarmos aqui juntos, sobre o mar, bem longe de casa.

2.

O embarque foi vinte dias atrás, as pessoas faziam uma fila enorme, arrastando malas. Depois que subimos, as bagagens ficaram lá, ainda enfileiradas, esperando ser levadas para os quartos de cada um. É pena não ter a Lourdes aqui pra me ajudar a desfazer a mala, pendurar os vestidos, guardar o moletom e as meias na gaveta.

Não se podia fumar no corredor nem nos quartos, coletes salva-vidas estavam no armário atrás da porta, os serviços de lavanderia estariam à disposição etc.

3.

Na agência de viagens me recomendaram fortemente o cruzeiro premium, mas meu dinheiro só dava para este. A madeira do piso de todo o convés está cheia de manchas, a descarga falha às vezes e a moça da limpeza só vai dia sim dia não no quarto. Tanto faz, realmente, só queria sair um pouco da cidade.

4.

Tem um menino aqui, cinco anos, acho, vive grudado na babá. Eu quando pequena também não largava a Lourdes (a Lourdes não era babá, era empregada mesmo)

— Dedê

eu só sabia chamar assim, e logo não estava mais sozinha, meus pais no trabalho, as bonecas, o lego espalhado no chão, a Lourdes fingindo perder no banco imobiliário. Ontem esse menino estava brincando com uns esguichos d'água perto da piscina, parou e me encarou na espreguiçadeira

— Moça por que você não sai daí?

5.

Hoje saí do quarto sem bolsa, estou com a mesma saia de

ontem. O salão já está escuro, a música mais alta, a fumaça e as luzes estroboscópicas ligadas. A festa começou.

6.

A Lourdes detestava barcos, uma vez ela foi conosco numa viagem e ficou sentada o tempo todo, a cara negra pálida, minha mãe me dizendo pra brincar com meus primos

— A Lourdes não está bem, filha

e eu do lado dela, perguntando por quê. Comia qualquer coisa, a Lourdes, não se importava com os quilos a mais, imagino que o atual marido também não. Se ela estivesse aqui nem cogitaria ir à festa, talvez nem cogitasse sair do quarto em momento algum.

7.

No nosso apartamento, o quarto em que a Lourdes ficava era bem menor do que este aqui do navio. Eu adorava ir pra lá, almoçar sentada ao pé da cama quando minha mãe não estava, deitar com a Lourdes e tirar uma soneca à tarde.

Não ligava para maquiagem, isso não aprendi com ela, nem para roupas, andava desleixada, tinha uma boca grande, bonita (eu achava), e usava um produto no cabelo que chamava de "henê", sobre o qual eu só sabia que deixava os fios mais lisos e cheirava muito mal, mas a Lourdes vivia de cabelo preso enquanto estava trabalhando, soltava apenas no dia da semana em que voltava para casa.

8.

Não perdi muito tempo me arrumando para a festa. Tenho cada vez menos vontade de entrar. Dormi um pouco agora, sentada no convés, aproveitando a trégua do vento e aquele momento em que tocam as músicas mais lentas.

9.

Falava muito pouco, a Lourdes, dizia que era "gringa", bicho do mato. Eu sempre tentava arrancar histórias dela, saber como cresceram os primeiros dos cinco filhos, que eu via pouco, como era o ex-marido, por que trocou de igreja tantas vezes. Mas quase nunca tinha êxito, ela me devolvia as perguntas com poucas informações

— Como foi seu dia?

de propósito ou não, por timidez ou por vergonha, ela não me deixava continuar. Na minha infância me pedia que lhe ensinasse o inglês que aprendia na escola, perguntava o que a professora tinha contado, como era meu namorado, qual música tínhamos cantado.

10.

A babá daquele menino dos esguichos está na festa, acabo de vê-la sentada perto de uma janela redonda, olhando para mim. Desvio os olhos para o mar. Há uma praia ao longe, um pouco iluminada pela lua, talvez de alguma ilha aqui do litoral.

Nesses vinte dias o cruzeiro fez uma única parada, optei por não descer nem por alguns minutos. Um tripulante perguntou meu nome, se não queria passear um pouco, pisar em terra firme.

11.

Quando ainda morávamos na Joatinga, no Rio, ir à praia era uma descida de cinco minutos. A Lourdes vinha comigo, ajudava a catar tatuís. Colocávamos num pote e ela dizia que faria arroz de tatuí, mas nunca comi, minha mãe devia mandar jogar fora. Morria de medo das ondas, vivia dizendo que um dia eu a tinha salvado de um afogamento. Só me lembro de puxá-la de um jeito que parecia não fazer a menor diferença, estávamos no raso, a espuma de uma onda forte a tinha derrubado. A Lourdes se assustava com tudo.

12.

No segundo passeio de barco que fizemos a Lourdes preferiu ficar em casa, já cortaria a carne e faria o gelo para o uísque do meu pai. Nunca tivemos casa de praia, mas um casal de amigos dos meus pais nos convidava bastante. Ele era empresário de alguns jogadores de futebol, tinha uma casa em Angra dos Reis e outra na serra.

Chegamos e gritamos pela Lourdes. Ela não respondeu. Gritamos de novo, minha mãe foi atrás, um pouco nervosa porque a carne ainda estava na pia e as fôrmas de gelo no armário. Procurou nos quartos, na sala, na cozinha e no quartinho dos fundos, nada.

Encontrou-a na piscina, meu pai e o amigo dele a tiraram de lá rápido, sopraram na boca dela e a Lourdes voltou. Estava mais pálida do que da outra vez. Minha mãe explicando

— Ela não sabe nadar, deve ter tropeçado e caiu

mas, embora a Lourdes nunca tenha tocado no assunto, meu palpite é que estava tentando aprender a nadar.

13.

Olho novamente para o mar. A luz da lua está bem forte. Vejo a superfície lustrosa, escura como petróleo, a crispação das pequenas ondas num movimento oleoso e ritmado. A noite é tudo isso, penso.

14.

As pessoas começam a sair da festa. Primeiro a moça jovem que só usa pérolas, o militar que sempre está de farda, a senhora com uma enorme flor na cabeça, o casal que parece estar em lua de mel, duas amigas loiras, o rapaz de óculos redondos e rosto preocupado.

A Lourdes vem caminhando toda arrumada em minha direção (só se vestia assim em dia de festa), me dá um beijo de boa-noite, pergunta se meu pai precisa de algo mais. Vou até o quarto dela, a camisola cinza que era da minha mãe, o pente fino que ela costuma usar. Pergunto se posso dormir lá aquela noite, ela me leva de volta à minha cama, me cobre com o cobertor laranja que tenho desde os quatro anos, liga a tevê e põe uma fita de desenho animado. Quando acordo no dia seguinte meu pai está fazendo vários telefonemas, minha mãe no canto, muito séria, me chama para conversar. Ela me diz que não vou ver mais a Lourdes; o coração dela não aguentou. Que a Lourdes ia virar pó de novo (e repete para mim o versículo que diz isso), mas eu podia guardar comigo um pouco dela até quando quisesse.

O último a sair é o barman, acompanhado pela babá do menino dos esguichos d'água.

15.

Talvez agora, sem o barulho da festa, enquanto todos estão dormindo para depois arrumar as malas, se despedir e trocar e-mails, telefones e combinar um encontro daqui a um mês, talvez este seja o melhor momento. Na ausência de um vaso próprio, minha mãe colocou minha parte da Lourdes num tupperware improvisado

— Filha, outro dia compramos um vaso bem bonito

mas nunca tive coragem de tirar Lourdes de lá. Abro com cuidado a tampa azul, o pó cinza começa a voar com o vento. Fecho-o rápido e desse jeito atiro o pote ao mar.

16.

Minhas mãos estão secas e salgadas; o creme ficou na bolsa. O dia amanhece, aquilo que eu achava ser apenas uma praia era na verdade a cidade, enorme, nosso porto de chegada, falta bem pouco, Lourdes, lembro que quando estava lá embaixo você me chamava

— Ju

nunca

— Filha

como minha mãe, nunca

— Querida

ou o que fosse, gritava

— Ju

da cozinha e às vezes eu fazia de conta que não tinha escutado só para você mais uma vez

— Ju

gruda os olhos ali no porto, é o melhor a se fazer, vai ver que o enjoo passa logo, se você beber um pouco de coca, se não comesse tanta fritura, Lourdes, me ajuda a colocar a boia e descer do barco, minha mãe não precisa do protetor agora, olha que bonita essa água tão clara, e se a gente fosse à praia?, nunca mais vi os tatuís.

# Leme

*para Irene*

Você me disse que se eu fosse reto na Consolação sairia na Rebouças, que por sua vez cruza a Faria Lima, dobrar à direita e pronto, era por ali o caminho do shopping. Você me esperava lá, uma mensagem de texto um pouco antes dizendo que já tinha chegado. Eu ainda demorava um pouco, o trânsito estava bem ruim naquele dia. Estava com saudades do Rio e hoje você que está por lá de visita. Sua avó no apartamento do Leme, as enfermeiras que revezam. Ela diz: "minha netinha, minha netinha". Acho bonito à beça ela dizer sempre duas vezes qualquer coisa. Como quando fala "minha querida, minha querida" ao te ver entrar pela porta com a mala e o computador na bolsa. Parece que precisa sempre repetir para enfatizar aquilo, que você é mesmo querida, a única neta etc. No hospital ela me disse isso. E que era fundista, nadava da pedra do Leme ao forte de Copacabana numa boa. Ao te ver chegar perto da cama perguntou, como sempre: "Tudo bem com você, tudo bem?". Tudo parado na Consolação e você me esperava um pouco mais, sem problemas, era até bom que dava tempo de ir no mercado. Hoje é aniversário do meu pai e você vai no jantar, aí no Rio. Ele sempre disse que fazer aniversário no fim de dezembro o privou de muitos presentes que poderia ter ganhado. Você insistiu comigo para comprarmos dois.

Depois de guardar os dele, você embrulha o presente de Natal da sua avó com todo o cuidado, mesmo sabendo que talvez ela nem perceba. Mas pode ser que se lembre do filme do DVD, um dos favoritos dela. Você explica, "Esse é aquele filme com o Gérard Depardieu, lembra, vó?". "Lembro, lembro", ela diz.

Você fecha a mala, apaga a luz. Mesmo no escuro enxergo seu rosto cansado. Seus dentes que afinam muito embaixo, o pequeno espaço entre os dois do meio. Mesmo no escuro posso apontar a pinta no seu braço, sei o brinco que está usando e se esqueceu de tirar para dormir. No escuro, quando você deita no meu ombro e fala qualquer coisa, já sonhando, sei das suas unhas sem esmalte, da curva que seu nariz faz.

28 de dezembro. Pensei em ligar de novo só pra pegar todo mundo junto no jantar e ir falando com um de cada vez, essa mania do meu pai de logo dar o telefone pra quem está do lado e depois ir dando a instrução de passar adiante, afinal era eu na linha. Como se quisesse me colocar lá no meio. Liguei, até porque o trânsito estava inacreditável. O barulho no restaurante era tanto que mal consegui ouvir o que falavam. Acho que já tinham cantado parabéns. Só consegui te dizer que estava parado na Consolação, sorte que você volta amanhã, antes que passasse o celular para o próximo da fila.

# III

# Cancun

Como nos últimos quatro anos, vai visitar o pai em Cancun. Geralmente é em julho: autorização do juizado de menores, fila do raio x, acompanhante da empresa aérea.

Passou a preferir sentar no corredor do avião. A perda da vista da janela se justifica pela possibilidade de, mantendo o braço um pouco para fora do assento, sentir as pernas das aeromoças encostando nele. Não entende por que o aviso de atar cintos se apaga, se dizem para mantê-los afivelados sempre que estiver sentado. A falta de sono por conta da expectativa da viagem logo faz efeito, perde o jantar, só acorda na hora do café da manhã.

Na fila do desembarque, fica aflito com o paradeiro da mala; se a perdessem, pensa, teria de vestir a mesma roupa o resto dos dias, viraria a camisa do avesso no terceiro, usaria bastante o chinelo que deixou na mochila, poderia dispensar a cueca. Olha pelo vidro atrás da esteira, vê a camioneta chegar, os homens descarregando e arremessando as malas, despreocupados. Logo avista a sua, com a fita verde.

Após a alfândega e as portas automáticas há um corredor

fechado, e a seguir outro, aberto de um dos lados e limitado apenas por uma barra de ferro, ao longo da qual as pessoas se enfileiram. O pai o espera sentado num banco mais à frente.

— Grandalhão! — diz, levantando do abraço. — Onze anos e já assim.

Supõe que o pai deve morar naquele hotel. Sapphire alguma coisa. Tem uma piscina em forma de diamante cujos azulejos do fundo, em dois tons de azul, dão a ilusão de tridimensionalidade para quem vê de cima. Por dentro do hotel é tudo muito bege, cortinas marrons aqui e ali, uma mesa imensa com a placa RECEPCIÓN. O homem que carregou a mala entra com eles no quarto, o qual lhe parece maior que o do ano anterior.

— Filho, quero que você conheça o Juan, meu amigo. Ele vai estar com a gente às vezes esses dias.

É mexicano, logo percebe pela dificuldade de Juan em convidá-lo para jogar videogame. Na tela, o carro que Juan pilotava derrapa e cai penhasco abaixo. Ele continua a corrida sozinho, mas chega em terceiro.

Juan pega sua pochete pesada, dá *buenas noches* e sai. O pai está no outro quarto, o que tem banheiro dentro, sentado à escrivaninha com o computador e os fones de ouvido. Não o ouve se aproximar e toma um susto, abaixando rapidamente a tela do laptop.

— Vamos dormir, amanhã quero te levar cedo para conhecer a pirâmide. Você nunca foi, não é?

Já tinha ido, dois ou três anos antes, mas não lembra claramente como é, de modo que assente com a cabeça.

— Chichen Itza — o pai repete.

***

Percebe que lembra mais do que esperava quando chegam

lá. Sem muitas novidades, as pedras empilhadas, as pessoas andando em bando, tirando fotos. O pai diz para Juan tirar uma deles dois. Não pede por favor, apenas estica a câmera e faz um sinal. Ele sobe no segundo degrau da escadaria principal para ficar do tamanho do pai. Não se abraçam, ambos ficam com as mãos para trás do corpo. Juan demora para fazer a foto, tentando descobrir na câmera como desligar o flash automático. Ele vê o pai a seu lado, que protege os olhos do sol com uma mão e vira o rosto em direção a uma turista que passa por eles. Minutos antes estava dizendo para ele prestar atenção nas informações do guia turístico local para entender um pouco a história de Chichen Itza. Quer pedir ao pai para irem embora logo depois da foto, quer reclamar da quantidade de degraus a subir, mas não fala nada.

— Digam uísque — Juan insiste, movimentando o braço livre.

Param para almoçar no caminho de volta. Em frente ao restaurante há um fusca azul estacionado. Ele observa bem: os fuscas têm algo de diferente em relação aos outros carros; gostaria de ter um, parecido com esse, embora menos velho, com a pintura bem-feita. Sente-se mal de andar no carro do pai, uma dessas banheiras prateadas, com espaço demais no interior, chamando sempre a maior atenção.

No meio do almoço, o maître, um homem de bigode, reconhece seu pai. Começa a fazer muitas perguntas, eleva o tom de voz, batendo na mesa. Juan grita em resposta, apontando para algo em sua cintura, puxa os dois às pressas, entram no carro, seguem para Cancun.

Pedem o jantar no quarto do hotel. Raviόli, palavra que ele aprendeu há pouco tempo, com molho branco. O pai levanta antes da sobremesa, pois precisa fazer uns telefonemas. Ele o observa enquanto se afasta, sem camisa e com uma bermuda azul, os passos pesados e desiguais. De alguma forma acha que falta certa ordem à vida do pai, alguma coisa importante. Ele mesmo não sabe o quê, mas é algo central, que organize todo o resto.

Tem a impressão de que o amigo do pai come muito devagar.

— O melhor é isto aqui — Juan explica, passando o pão no resto de molho no prato. Ele repete o gesto, Juan dá uma risada e lhe pergunta se quer ouvir uma boa história.

— Há alguns anos, conheci uma cidade chamada Torreón, aqui mesmo, no México. Deve ficar a quatro horas de carro de Cancun — começa. — É uma cidade que foi construída do zero. Mas o engraçado é que foi superdimensionada. — Presta atenção no sotaque daquele homem, o modo como fala o R no meio das palavras, sua tentativa de misturar alguns termos em português para que ele entenda melhor. — Os espanhóis vieram e fizeram o projeto. As medidas estavam em metros, mas os construtores americanos acharam que era tudo em pés. Conclusão: as ruas ficaram com o triplo do tamanho normal!

Faz uma pausa para dar um gole na cerveja; uma garrafa pequena, transparente, com um limão dentro. Ele repara no limão.

— Para você entender melhor, *wey* — diz Juan, chamando sua atenção de volta —, pensa que alguém sabe direitinho o tamanho das suas camisetas. Aí essa pessoa encomenda uma para você em outro país, dá a largura e a altura certas. Mas lá eles medem as coisas de outro jeito. Quando chega a camiseta nova, caberiam três *chiquilines* como você dentro dela.

Nessa cidade, ele pensa, tudo deve ser maior: os prédios larguíssimos para preencher os quarteirões, as pontes com três vezes o comprimento. O certo seria o sinal de pedestres demorar muito mais também. Deve ser fácil se perder em Torreón.

***

De manhã, o pai entra no quarto em que ele está dormindo

e abre as cortinas. Juan está na sala, de short, chinelo e com sua pochete enorme.

— Se veste, vamos à praia.

O pai explica que terá de ficar no quarto trabalhando, só sairá para almoçar, mas que se divirtam. Dá umas notas de dinheiro para Juan. Os dois passam pelo lobby e ele vê o bar com um monte daquelas garrafas transparentes de cerveja.

O serviço de *shuttle* do hotel os deixa praticamente na areia. Ao descer, o motorista diz qualquer coisa aos passageiros, que ele não entende.

— Juan, quero conhecer Torreón. Você acha que meu pai te deixaria me levar lá?

— Pouco provável. Além do mais, preciso ajudar ele com uns trabalhos.

— Mas e se formos agora? Em vez de estarmos aqui na praia, íamos estar lá. Ele nem ia perceber.

— São quatro horas pra ir, mais quatro para vir, pelo menos. Impossível em um dia só. E a estrada é péssima.

Na noite anterior sonhara com Torreón. Ele, já mais velho, vestia roupas diferentes, parecidas com as do pai, e estava no meio de uma larga avenida onde quase não passavam carros. De repente, seus membros começavam a crescer. Primeiro os braços, depois as pernas. Com as mãos arrancava os postes de luz da calçada. Em determinado momento, apoiava o pé esquerdo no telhado de um McDonald's, mantendo o direito na via. Estava descalço e, sem aviso, o asfalto esquentava a ponto de a sola do pé grudar nele feito chiclete. Por mais que tentasse, não conseguia se mover.

— Não quer dar um mergulho? — Juan é bastante moreno, tem o cabelo raspado, está de óculos escuros e faz a pergunta mantendo o rosto virado para o mar.

A água está na temperatura ideal. Os dois voltam para a

areia e ficam esperando os shorts secarem, de pé, vendo o movimento. Ele sacode um pouco para acelerar o processo e não deixar o short colado ao corpo por muito tempo. De repente, avista duas mulheres sem a parte de cima do biquíni, deitadas perto deles.

Juan percebe seu olhar paralisado.

— Chamam isso de topless — explica. — É normal em alguns países. Você acaba acostumando.

Sua experiência em avistar seios nus se limitava ao dia em que entrou sem bater no quarto da mãe. Agora, pensando bem, achava que tinha visto algo parecido duas noites atrás, no computador do pai.

***

Voltam para o quarto do hotel. O pai não está. Juan faz uma cara estranha e diz para ele ir tomar um banho.

Debaixo do chuveiro, ouve a voz de Juan. Parece estar gritando. Fecha a torneira, tenta ouvir melhor. Está falando muito rápido, não dá para entender quase nada. Juan abre a porta do banheiro, segurando o telefone contra o peito. Ele se cobre com a toalha imediatamente.

— Vem, vou precisar te deixar na recreação do hotel. Desculpa.

Juan bate a porta com força, ele se seca o mais rápido que pode.

Pergunta de novo no elevador:

— O que aconteceu?

— Ainda estou tentando descobrir. Mas escutei a voz dele, ele está bem.

Achava ter ouvido, em meio aos gritos de Juan, a palavra sequestro.

Lá embaixo, informam que a recreação já encerrou pelo dia. Entra com Juan no carro, percorrem a cidade por meia hora, até chegar a um sobrado branco.

— *Oye, cuidalo.*

Juan explica rapidamente que aquela é sua esposa e sai de novo com o carro.

A casa tem poucos móveis, a maioria feita com aquilo que ele mesmo batizou de "madeira falsa": uma folha artificial imitando madeira de verdade, colada na superfície da mobília. Fica encostado num canto do sofá, vendo tevê junto com a moça. Ela é alta e também morena, cabelos lisos, usa um vestido amarelo aberto nas costas. Tem vontade de chegar mais perto dela, e escorrega para o lado aproximadamente três centímetros. Encara-a fixamente por alguns minutos. Ela se mantém atenta à tevê até que enfim se vira para ele, fazendo-o desviar o olhar rapidamente.

Isso se repete algumas vezes até a novela terminar. No intervalo que antecede o próximo programa, ela levanta para pegar água e, antes de se sentar de novo, apaga a luz.

Ele adormece ali mesmo, não percebe quando ela o cobre com uma manta e coloca um travesseiro embaixo de sua cabeça.

***

Na madrugada, tudo escuro lá fora, ouve seu pai chamar:

— Vamos para o hotel.

Entram num táxi que os esperava na porta. Nem sinal de Juan ou da esposa.

O pai está com um aspecto muito cansado, alguns cortes no rosto e um roxo bem grande na perna, como um que apareceu nele mesmo uns dias atrás, por causa de um tombo de bicicleta. Pensa em perguntar o que houve, por que os machucados, onde estivera. Fica em silêncio e o pai emenda:

— Amanhã vou com você para o Brasil. Passar um tempo por lá, rever velhos amigos.

O taxista parece novato, pede o tempo inteiro para lhe indicarem o caminho. Perdem-se uma, duas vezes. Seu pai se irrita, mas visivelmente também não conhece aquele lugar. Inclina-se para o lado, apoiando a cabeça no vidro da janela.

Amanhece. Ele não está acostumado a ver o dia começar, estranha a sensação a princípio, sente como se não tivesse dormido, como se fosse um intruso da alvorada. O pai informa que precisam passar mais um dia no hotel, não tinha lugar no voo de logo mais. Estão sozinhos, os dois. Tomam café, ele fica um tempo no sofá lendo o cardápio do restaurante do térreo e depois vai jogar video game.

Está no meio de uma missão solo de *Goldeneye* quando o pai se junta a ele no sofá. Diz que viu esse filme, mas não se lembrava do James Bond carregando um lança-granadas. Coloca no multiplayer; ele e o pai contra dois oponentes controlados pelo computador. Juan jogava melhor, sabia plantar minas bem e não ficava o tempo inteiro perguntando qual era o botão para mudar de arma.

Quando dão por si, já está começando a escurecer e nem almoçaram. Concordam em comer ravióli de novo. Após o almojanta, recomeçam o jogo. O pai está progredindo; pergunta menos, movimenta-se com mais agilidade.

Alguém bate à porta. Deve ser Juan, ele pensa, mas é o serviço de quarto, para retirar os pratos e deixar duas garrafas de água.

O pai morre pela segunda vez. Dá um *pause*, pega a mão do filho.

— Que bom que você veio. Foram dias muito bons, não é? Mas a gente tem mesmo que ir embora amanhã. Tudo bem assim?

Ele desliga o video game e olha para o pai. Repara na barba por fazer, analisa bem os arranhões. Fica com vontade de jogar água oxigenada nas feridas, como faz sempre que se machuca ou quando coça muito uma picada de mosquito e ela abre, para ver a espuma branca que se forma. O pai tira o controle de sua mão, faz cafuné em sua cabeça, depois aperta suas costas fazendo massagem. Sempre faz forte demais; dói um pouco, mas ele não reclama.

Levantam quase ao mesmo tempo, ele segue o pai até a janela. Veem acenderem-se as luzes da piscina lá embaixo, os dois tons de azul dos azulejos. Em meio à escuridão do entorno, o diamante fica ainda mais evidente.

# Colônia

A maquiadora atrasou e a fotógrafa esqueceu que faria o making of. Acabaram chegando as duas ao mesmo tempo, já estávamos lá eu, nossa mãe e duas amigas dela. Abri a porta do quarto que era da nossa avó. Minha irmã estava sentada na cama, encarando fixamente para o vestido pendurado no cabideiro em frente. Avisei que tinham chegado.

Procurei pelas enfermeiras, querendo saber onde ficavam as toalhas. As duas estavam no banheiro com meu avô. Entrei um instante e aproveitei para pegar o creme para pentear. Uma o ajeitava na cadeira, a outra dava o nó na gravata. As duas estavam se arrumando ali mesmo também. Tiraram rápido a roupa branca e vestiram a da festa, prenderam o cabelo e passaram gel no do meu avô, penteando-o para o lado, como ele gosta.

Doze casais de padrinhos. Além de mim e do irmão do Davi, todos os outros eram amigos dos nossos pais ou dos dele. Uma senhora com um vestido amarelo, longo, as bochechas caídas, muita maquiagem, cabelo pintado de loiro. Não lembro o nome. O Abner, colega de infância do meu pai, alto, magro mas atlético, muito queimado de sol, cheio de rugas, cabelo bem grisalho. Não perdeu o costume de me mandar fazer exercício. A mulher dele quase da mesma altura, igualmente bronzeada. Entrou casal por casal, depois o noivo, com a mãe. Meu avô estava na cadeira de rodas, na primeira fileira, as duas enfermeiras atrás.

Em seu trajeto até o altar, o Davi estava com uma expressão um pouco perturbada. Olhava para os lados sem parar, nunca para a frente, apertava e ajeitava o braço da mãe entrelaçado ao seu. Minha irmã entrou sorridente, os olhos ora fixos no altar, ora mostrando gratidão aos convidados.

Vi minha irmã ajoelhada ao lado do noivo, quase marido. A gente brincando de médica, ela caída no chão com dor na barriga e eu me preocupando, de joelhos sobre ela para ter certeza, recomendando: você vai ter que descansar, mocinha (era isso que nossa tia, médica de verdade, dizia quando estávamos doentes). Nos meus ataques de bronquite minha irmã pegava o nebulizador e fingia que era um microfone, acabava derrubando na cama a mistura de soro com água que tinha dentro, minha mãe nos dava bronca, rindo, e mandava a gente se limpar.

Vi as letras estilizadas com que escrevíamos nossos nomes no quadro-negro do quarto, as raquetes ao lado do armário. Se estivéssemos cansadas depois do tênis, o Marcelo pegava a gente na porta do clube. Nosso apartamento ficava a meio quarteirão dali, mas o cansaço era só uma desculpa para nunca voltarmos a pé. Meu pai preferia.

Sempre acordávamos exaustas no último dia de janeiro. Aniversário de gêmeas é mais cansativo, minha mãe dizia, agachada ao lado da cama. As festas eram sempre na colônia de férias.

O clube que frequentávamos, e onde era a colônia, tinha uma piscina aberta com dois trampolins, uma quadra poliesportiva, duas de tênis e uma sauna com uma piscina quente e outra fria ao lado, cobertas. Tinha um restaurante e um refeitório, que os sócios não conheciam. Além dos funcionários, os únicos que comiam lá no refeitório eram os alunos da colônia.

No dia da festa, meu pai comprava uma infinidade de presentes e, sem a gente ver, distribuía para as outras crianças nos darem, mas é claro que sabíamos. Ganhávamos carrinhos, barbies, escovas de cabelo, estojos de guache, pincéis. Enchíamos duas sacolas enormes e deixávamos na administração do clube para depois levar para casa no fim do dia. Uma vez ele chamou um animador, além dos professores da colônia. No fim das brincadeiras recebemos dois troféus e fomos muito aplaudidas.

Uma tradição começou lá pelos meus dez anos, quando organizaram a primeira festa junina do condomínio. Ainda hoje, nós nos reunimos em casa, apagamos todas as luzes do apartamento e aguardamos a hora dos fogos de artifício, que a cada ano ficam mais espetaculares. Da nossa janela a vista é privilegiada. Ninguém fala nada, só nos olhamos, em silêncio, iluminados pelos fogos.

Na adolescência, saindo do banheiro uma vez, vi minha irmã com uma calcinha que na verdade era minha, dizendo que ficava melhor nela, combinava mais com sua pele. Via-se no espelho de perfil e reclamava, sempre dizia que o espelho daquele jeito, num pedestal que inclinava sem querer, deixava a gente mais magra. Conserva até hoje seu jeito engraçado de colocar as camisas: enfia primeiro um dos braços e a cabeça, ao mesmo tempo, depois dobra o outro braço, que estava por dentro, e o estica para fora.

Quando fizemos dezoito, cada uma ganhou um carro, blindado. No primeiro dia saímos juntas, paramos lado a lado no sinal, mas o vidro não baixava. Bati no meu, esperando que ela ouvisse algo. Também não conseguia vê-la por trás do vidro escuro. Dirigimos um pouco pelos Jardins. Numa esquina ela parou, desligou o carro e saiu. Vou com você, falou, entrando no meu carro e largando o dela mal estacionado, a quase um metro do meio-fio.

Fomos cursar faculdades diferentes, só nos víamos direito à noite e nos fins de semana. Teve uma época que se entusiasmou com um desses shakes de emagrecimento, e substituía o jantar por aquilo. Todos na mesa comendo normal e ela com a bebida. Durou dois meses.

Não sei se resolveu assumir o restaurante, um negócio menor do papai, por preguiça ou por vocação. Sempre gostou de cozinhar, isso é verdade, mas não ficou de chef, apenas administra. O Davi entrou de sócio só tinham um ano de namoro, o pai dele ajudou com uma parte do dinheiro. Uma semana depois fomos lá com uns amigos. Minha irmã sentou à mesa, pousou a mão no prato onde dizia 1980. Pra ter um restaurante a gente tem que fazer um marketing enganoso, começou. Batatas caseiras com alecrim, leu devagar no menu, levemente douradas e macias por dentro. Estão vendo? Na verdade as batatas vêm do sacolão ali. A culpa é dela, disse, apontando para mim e rindo, ela que escreveu tudo desse jeito, pra dar mais vontade de comer. Eu com as palavras. Minha irmã só tinha 24 anos e já era dona de um restaurante. Até hoje briga muito com o pessoal da cozinha, a rotatividade lá é grande.

O Davi se tornou parte da nossa vida muito rápido, antes mesmo de virar sócio do restaurante. Viajava conosco para Ubatuba, dirigindo o carro da minha irmã, conversava com o papai o tempo inteiro ao lado da churrasqueira. Um dia, na praia, contou que a mãe dele era um pouco temperamental, que certa vez quebrou no chão o conjunto inteiro de louças da cozinha. Todos se assustaram e ele suavizou, dando risada, ela também é muito estabanada, disse, não mede as consequências, e emendou o assunto com uma ideia que tinha para um pequeno empreendimento: um restaurante em que o cliente poderia levar para casa a louça na qual comera.

Ajudei minha irmã a montar a lista de casamento. Não duvido que o papai vá comprar metade de tudo aí, reclamou. Isso sem mencionar o apartamento, que ele vai dar, e a festa. A decoradora está cobrando um absurdo. O Davi não está nem aí. Eu insisti que tínhamos de montar a lista mesmo assim, era melhor ela ganhar coisas dali do que de mil lojas diferentes, seria uma loucura pra trocar, e ainda ganharia créditos, poderia pegar coisas melhores depois.

Optaram por não escrever os votos, apenas repetir as palavras de praxe. Não sou bom com essas coisas, o Davi falou. Minha irmã já tinha esboçado os dela, mas não discutiu, quis fazer a vontade dele.

Não é possível esse coque. Não vai dar. Não vai!, ela gritava com a maquiadora, aquele era o dia de seu casamento, não podia ficar com o cabelo assim. Era o casamento dela. Estavam todos ali. Não lembro o que o padre disse.

Os noivos cumprimentaram os convidados na saída da igreja. Antes disso, antes de atravessar a nave, chegaram perto do meu avô e beijaram a cabeça lisa dele. Depois saíram, alguma madrinha tinha comprado "grãos de arroz" em forma de coração. Jogamos aquilo sobre eles. O Marcelo esperava para levar os dois para o local da festa.

* * *

Aproveitei pouco a piscina sem ninguém. Duas mulheres e uma menina sentam-se atrás de mim: a mãe e a tia, imagino, devem ter uns cinquenta anos; a garota, no máximo dezoito. Reclama que queria ter ido ao Rio, com as amigas, conhecer os blocos, a praia de Ipanema, mas o pai não deixou. Levanta, passa o protetor de forma desleixada — não tem mais ninguém ali. Puxa a parte de cima do biquíni com uma mão e com a outra espalha o filtro. Mergulha rápido, nada um pouco, sai da piscina e pede a toalha. Mãe, diz, fala pro seu filho que se ele vier é pra trazer as cartas e deixar a chata da mulher dele em casa.

Sempre penso que é melhor passar o carnaval em São Paulo, que vai ser bom ficar aqui, a cidade sem ninguém, o trânsito livre, a piscina do condomínio mais tranquila. Hoje minha irmã faria cinco anos de casada. Naquele 2010 também não viajei. Os dias que se seguem a um casamento, sobretudo quando é o casamento da irmã, têm algo de diferente. As previsões que ficam no ar. Minha irmã casou no começo do carnaval para que os convidados do marido, que eram pouquíssimos e na maior parte de Minas, pudessem vir.

Foi pouco depois do aniversário deles de um ano. Bodas de papel, como minha irmã gostava de lembrar.

Antes de abrir a porta de casa ela sentiu o cheiro. O apartamento deles era grande, uns cento e cinquenta metros. Três quartos, dois banheiros e uma sala ampla. A cozinha era americana, depois vinham a lavanderia e o quarto de empregada. A varanda dava para uma rua bem arborizada. Trocaram o taco por um carpete em quase todo o apartamento. Foi o que, segundo o laudo, piorou tudo. O fogo teria começado na área de serviço, onde ficava o aquecedor. Ninguém tinha visto. Minha irmã abriu a porta e a toalha da mesa de jantar já estava tomada pelas chamas, as cortinas, o pufe verde que ela insistira em comprar, o quadro de cortiça que tínhamos ganhado num dos aniversários na colônia e eu a deixei levar para pregar fotos, com a condição de que sempre tivesse uma nossa, a que eu mais gostava: as duas dentro da piscina, de óculos de natação, fazendo pose. Ela desceu as escadas correndo, foi o que me disse. O Davi tinha sumido. Não atendia o celular, não estava no trabalho.

Minha irmã voltou a morar com a gente. Ainda estamos dividindo o quarto, meus pais tinham transformado o dela num escritório, demoraram para reverter tudo e acabamos acostumando. Ela prefere assim.

O Davi foi visto em São Paulo só no ano passado, por alguém da família. Um primo, acho, o avistou andando de carro na avenida Europa, os dois vidros da frente abertos.

# Arraial

Abre o Facebook e percorre as novidades daquelas pessoas que admira vagamente, por quem tem certa simpatia, mas a quem conhece pouco. São, sobretudo, amigos de amigos que ele adicionou.

Vê a foto de Luíza num bar, no que parece ser o aniversário de uma amiga. A imagem tem a data de hoje, contudo nada garante que não tenha sido tirada ontem, ou mesmo semana passada. Entra em seu perfil, fica algum tempo olhando as outras fotos, procurando alguma em que ela esteja na praia. Acha uma sequência, num álbum intitulado "Arraial do Cabo 2012". Explora seus amigos em comum — só dois, colegas dele no trabalho. Vê a página com os filmes que ela curtiu — Steven Spielberg, apenas —, as músicas — Arcade Fire e duas bandas que desconhece, talvez de amigos dela —, os programas de TV — *Friends* e *Everybody Loves Raymond*.

Volta ao feed de notícias. Sebastián, irmão de um amigo cuja família é do Chile, postou uma citação de Javier Marías. Ele curte, abre outra janela, faz uma busca e descobre que há uma edição em português. Compra, solicitando a entrega expressa. O trecho de *Coração tão branco* era o seguinte: Às vezes tenho a sensação de que nada do que acontece acontece, de que tudo aconteceu e ao mesmo tempo não aconteceu, porque nada acontece sem interrupção, nada perdura nem persevera nem se recorda incessantemente. Tem essa exata impressão acerca dos eventos em seu Facebook. Curte alguns, deixa outros passarem batidos. Comenta pouco, só quando lhe vem uma vontade súbita e o que tem a dizer parece espontâneo.

Desde que veio do Recife para o Rio, acompanha boa parte da vida de seus familiares por ali também. Vê que o sobrinho, filho da irmã, se formou no quinto ano. Uma prima de segundo grau fez primeira comunhão. A mãe curtiu algumas imagens motivacionais e as fotos da viagem de uma amiga a Porto de Galinhas. Tenta descobrir se é possível desabilitar a opção de ver em seu feed aquilo que outras pessoas curtem, mas não consegue.

Agora pensa em comentar outra foto de Luíza, em que está com a irmã, embora seja mais antiga; isso poderia sugerir que ele estava de fato vasculhando o perfil dela, vendo todas as fotos intencionalmente. O lugar em que estão faz com que lembre o último filme do Batman, a cena inicial: um jantar no jardim da mansão de Bruce Wayne, sem Bruce Wayne. Pesquisa imagens antes, comprova que é realmente parecido. Há nuvens carregadas atrás dela, da irmã e dos outros convidados — as mulheres se equilibram em saltos sobre a grama, mas Luíza está de rasteirinha. *There's a storm coming, Mr. Wayne*, ele escreve enfim, lembrando uma fala de outro momento do filme.

Alguns minutos depois, Luíza curte seu comentário, mas não oferece nenhuma réplica. Pensa se ela entendeu a menção ao Batman e a conexão com a tempestade, ou se apenas se lembrou desse diálogo solto. Também pode apenas ter gostado do fato de ele ter comentado, ou ainda ter curtido por não ter o que responder.

Um ano atrás, alguns amigos do colégio no qual estudou na adolescência, no Recife, o encontraram no Facebook. Todos seguiram caminhos bem diferentes do seu: um é professor de português, outro tem um bom cargo numa rede de hotéis, e o terceiro é médico. Ele foi para o Rio, há pouco menos de três anos, trabalhar numa produtora de cinema cuja dona era amiga de um amigo: foi isso que disse a cada um dos três, que o adicionaram separadamente, um depois do outro, e lhe enviaram mensagens dizendo estarem saudosos, notando quanto tempo se passara desde que se formaram, e querendo saber como estava sua vida, com o que trabalhava, se estava casado (embora, com uma rápida espiada em seu perfil, pudessem facilmente perceber que era solteiro).

Hoje, uma quarta pessoa do colégio havia solicitado sua amizade. Cecília foi sua primeira namorada, se é que ficar juntos por quatro meses aos treze anos pode se chamar de namoro. Mudou muito, ele pensa, ficou até mais bonita. Está redigindo uma resposta à segunda mensagem dela. Na primeira, Cecília dizia estar muito feliz por tê-lo encontrado ali, com alguns outros de sua turma. Elogiava sua aparência, perguntava o que ele fazia e falava que estavam querendo marcar um grande reencontro. Sua primeira resposta foi semelhante à sua comunicação com os outros colegas, mas um pouco mais carinhosa (enviara a mesma mensagem inicial para os outros três). Depois ela respondeu que trabalha como publicitária, na área de criação. Lamentava ele estar no Rio, mas dizia que, se quisesse, o avisaria da data do encontro para ele ver se conseguia se programar e aparecer lá.

Dez anos de formados, a gente tem que se ver mesmo!, ele

começou a digitar. Aqui na produtora meu trabalho é mais de peão. Como você (e todo mundo) deve ter percebido naquela época do colégio, eu nunca tive muito talento pra criar, inventar coisas, apesar de adorar as aulas de desenho, literatura, história. Às vezes acho que minha maior vocação é perceber o que está acontecendo perto de mim, dar referências, apresentar o trabalho de um pro outro, recortar citações, desenvolver o que alguém já criou antes. Aqui, pelo menos eu fico perto da criação dos filmes, sabe? Me envolvo no processo, é massa. Para de teclar. Surpreende-se um pouco com o que acaba de escrever, nunca tinha formulado isso assim, tão claro, para alguém. Pensa em desistir, deletar, mas continua. Ceci, se você quiser viajar pro Rio, me avisa, tenho um sofá-cama pra hóspedes aqui, que alguém precisa inaugurar. Apaga essa última sentença. Tenho um sofá-cama pra hóspedes aqui, isso se você não se importar, né? Moro em Botafogo, é perto de tudo. Ou posso te indicar uns albergues mais baratos na região. Saudades do Recife, da nossa Hellcife, realmente estou querendo dar uma passada, então me avisa quando decidirem a data do encontro, tá? Beijo.

Cecília só tem as três fotos do perfil, mais nenhuma. Parece usar pouco a rede social — talvez seja como o pai dele, que só vê as atualizações que chegam por e-mail, e responde por ali mesmo. Lembra bem a primeira vez que ficou com ela. Estavam num aniversário, na área comum do prédio de alguém, e uma menina viera lhe dizer que Cecília gostava dele, perguntando se era recíproco. Ele confirmou, e então a mediadora disse para ele esperar por Cecília atrás da quadra. Quando enfim se encontraram, ficaram se encarando por alguns segundos e logo começaram a rir, um riso que era também de nervosismo. Ela indagou se ele já tinha ficado com alguém, ele mentiu que sim, e quis saber dela. Cecília balançou positivamente a cabeça e se aproximou dele, que a abraçou. Beijaram-se por um bom tempo, ou pelo menos foi assim que guardou na memória: um beijo longuíssimo. Ela realmente parecia ter experiência naquilo, o que o acalmou um pouco, limitou-se a acompanhar os movimentos que ela fazia com a língua. Pensa em perguntar a Cecília, caso continuem se falando por um tempo, se ela dissera mesmo a verdade naquele dia ou se era tão inexperiente quanto ele.

Durante a adolescência, sua irmã, oito anos mais velha, era sua maior conselheira. Incentivava-o a contar das meninas que gostava, não tinha ciúmes, não debochava, pedia descrições — tentava, no fundo, descobrir se elas realmente seriam legais com ele. Sua tendência aos amores platônicos, a ficar só imaginando teoricamente tudo, alimentava as conversas, que eram talvez os momentos de que mais gostava naquela vida.

Está lendo o livro de Marías há uma semana, ininterruptamente. Descobre como continua o trecho que Sebastián postara: e até a mais monótona e rotineira das existências vai me anulando e negando a si mesma em sua aparente repetição até que nada seja nada e ninguém seja ninguém que tenham sido antes, e a frágil roda do mundo é empurrada por desmemoriados que ouvem e veem e sabem o que não se diz nem sucede nem é cognoscível nem comprovável. Pensa que algumas de suas memórias de adolescência são muito mais vívidas do que as recentes, aquilo que aconteceu semana passada, aquilo que leu na linha do tempo de um amigo, num texto de um blog qualquer que alguém compartilhou.

Senta sozinho num restaurante do shopping para almoçar, pede um filé com fritas e abre o Facebook no celular. Há uma mensagem de Cecília, curta, que ele lê enquanto espera a comida. Conhecer o Rio de Janeiro, que sonho!, ela diz. Mas estou bastante dura agora, meu namorado também. Vou ficar com esse plano no horizonte, quem sabe uma hora a gente vai? Observa as pessoas a seu redor comendo e falando. Só mais duas estão sozinhas como ele, há principalmente grupos de três ou quatro, alternando entre conversar e mexer no celular. Algumas vão ao bufê de saladas, algo de que ele não gosta e costuma evitar sempre que pode, prefere ficar sentado e pedir, mesmo que seja mais caro e demore um pouco mais.

É domingo à noite, está à frente do computador, em casa. Ainda não fez muitos amigos no Rio, a produtora é pequena e ele não criou, por assim dizer, uma rede de amizades. Volta ao álbum de Luíza em Arraial do Cabo, que olha mais atentamente, lendo os comentários nas fotos, a maioria das amigas que estavam com ela na viagem, elogiando-a efusivamente. Curte o álbum como um todo — não cada uma das fotos, isso já seria demais.

No trabalho, logo de manhã, dois colegas o convidam para um chope no fim do dia. Aceita e logo começa a fazer ligações para fornecedores e responder a alguns e-mails da chefe e de um diretor com quem está trabalhando num filme.

Resolve rápido o que precisa fazer e depois do almoço fica bastante ocioso. Vê que Cecília o convidou para um evento; conseguiram marcar, foi até rápido. Alguém já postara no mural convocando todos a recuperar fotos antigas e ir colocando lá, assim fariam um grande apanhado e todos poderiam guardá-las depois. Suas velharias ficaram todas no Recife, num armário de seu antigo quarto. Não as vê faz tempo, imagina qual foto poderia pegar. Lembra-se especificamente de uma em que está com Cecília, e que tiraram de surpresa: ela com cara de assustada, as pupilas vermelhas do flash, e ele com os olhos semicerrados, de boné e camiseta (provavelmente uma da Rip Curl, que usava quase todos os dias). Verifica passagens para a data, não há nenhuma promoção, estão caras demais. Posta vários pontos de exclamação na página do evento, mostrando entusiasmo, e em seguida comenta seu próprio post, dizendo que tentaria muito ir, mas por ora estava difícil.

No bar, à noite, encontra por acaso Luíza, que senta com mais uma amiga na mesa deles. Um dos dois que estavam com ele era o amigo em comum que tinham. Levanta para falar com ela, não sabe se diz "prazer" ou apenas cumprimenta, como se a conhecesse realmente. Resolve se limitar a dar dois beijos no rosto e senta de novo.

Observa como ela movimenta os braços, expansiva, falando na altura certa para ser ouvida. Sua voz é um pouco grave, não a imaginara assim, os cabelos estão mais lisos do que em algumas fotos que viu, é um pouco mais baixa que ele. Repara em seu vestido branco e preto, com um padrão de gatos enfileirados.

Luíza está contando, revoltada, que teve o celular furtado no ônibus, hoje cedo. Faz uma pausa, vira para ele e diz que gostou muito daquele filme do Batman. Ele demora alguns segundos para entender por que ela está falando isso, até que se lembra de seu comentário na foto dela. Pensa em como é estranho conversar ao vivo sobre um assunto casual assim, iniciado virtualmente dias antes. Muito bom, ele fala, mas gostei mais do segundo, anterior a esse, com o Coringa. Luíza diz que não viu nenhum outro da série, e repete "Coringa" imitando o sotaque dele. Depois de falarem rapidamente sobre a ocupação de cada um — ela estuda odontologia — se calam, olham para a mesa e passam a interagir com os outros presentes.

Luíza paga sua parte, dizendo que precisa ir. Ao se despedir dele, fala que deveria tentar conhecer Arraial do Cabo. Ele se espanta um pouco. Deveria ir lá, ela diz, começar a conhecer mais o estado do Rio, não é só Pernambuco que tem praias incríveis.

Arraial é bonito pra caramba, a cidade em si virou uma farofada, mas a praia do Forno continua linda.

Imagina se veria Luíza novamente. Conclui que só numa situação dessas, por acaso. Continuaria a acompanhá-la no Facebook, sobretudo suas viagens — ela mencionara há pouco que talvez passasse as férias de julho na Tailândia.

Os dois colegas o convencem a seguir com eles para uma festa junina no Jockey Club. Posta uma imagem do lugar: em primeiro plano, e bem embaixo da foto, as bandeirinhas; atrás, as luzes fortes e o céu cinza-escuro, desfigurado por causa da iluminação que vem de baixo. Não se vê ninguém na foto, o céu ocupa a maior parte dela. Dança um pouco de quadrilha e forró. Sai sozinho, no meio da madrugada, senta no ponto da rua Jardim Botânico para esperar o ônibus. Passam três que serviriam, mas ele não se move, permanece ali. Observa como o movimento vai mudando, começam a chegar pessoas que estão indo para o trabalho, funcionários do Jardim Botânico, de padarias.

Volta ao Jockey, caminhando no vácuo de uma pessoa que parece trabalhar lá. Pega na entrada o flyer de um evento com projeção de cinema ao ar livre, numa tela gigante montada em frente à arquibancada. O arraial da festa está apagado, semidesmontado, o sol já nasceu e as nuvens começam a se dissipar. Pensa em tirar uma foto comparativa, de um ângulo próximo ao da anterior, mas a bateria do celular acabou.

# IV

# Laguna

A casa ficava depois de Punta del Este e antes de chegar a José Ignacio, numa dessas praias cujo nome certo ninguém sabe. O dinheiro do proprietário acabou no meio da construção, forçando-o a abandoná-la assim, incompleta. Tinha duas partes visualmente bem diferentes. A sala e a cozinha formavam um bloco, com uma cobertura que seria um telhado inclinado, mas do qual havia apenas a estrutura de madeira com os primeiros caibros e o forro pela metade, sem telhas. A outra parte, colada a essa, era uma caixa de concreto onde ficavam os quartos e banheiros, e aparentemente só teria uma laje simples, que estava pronta. As paredes da sala estavam com os tijolos à vista e as dos quartos já tinham sido emboçadas. Ficava bem na beira da estrada, numa faixa de terra que dividia com outras poucas casas, todas elevadas do chão por conta da laguna de trás, que, quando enchia, inundava tudo.

A carcaça foi pichada. Serviu de abrigo para turistas na chuva e de depósito para uma festa de Ano-Novo que fizeram em frente. Certa vez um mendigo se instalou nela e, sentado com as pernas pendendo na beira da casa, gritava a todos os passantes para se abrigar, pois viria uma tempestade.

Mas a história de que mais gostavam de lembrar os caseiros e jardineiros das casas de veraneio próximas era a de um casal de *rubios*, provavelmente suecos. Chegaram um dia de carro, tiraram as malas e abriram uma barraca na sala. Moraram quase um mês ali; saíam vez ou outra para comprar alimentos, às vezes comiam na mercearia. À noite, viam o homem sentado por horas a fio na beira, igual ao mendigo, com uma ponta de cigarro acesa. Eram adeptos do nudismo e assim frequentavam a praia vazia, logo após o fim do verão e da alta temporada. A loira, contavam, era deslumbrante, mas aparecia pouco, passava boa parte dos dias na barraca.

***

Quando cheguei à casa estava com a Valentina. Nós nos conhecemos em Montevidéu, era uruguaia, trabalhava como guia no Teatro Solís, o principal de lá. Participei de uma visita guiada por ela e, ao fim, perguntei se queria tomar uma cerveja ou algo.

Contou-me que aquela era sua última semana no teatro. Já não aguentava mais ter de repetir a mesma história dezenas de vezes ao dia. Planejava ficar um mês viajando, sem pensar muito no futuro, para depois voltar a se ocupar disso. Sem que eu precisasse puxar assunto, falou das brigas frequentes com a mãe (quase todos os dias depois do café da manhã), do irmão adolescente e quieto demais, e da pequena horta montada na janela de seu quarto, a qual regava sempre antes de dormir. Se eu estiver falando rápido me avisa, ela disse, e emendou a história de como seus pais se conheceram, o casamento por conta da gravidez inesperada, as viagens constantes do pai a trabalho para a Argentina e a depressão da mãe — ocupada com a casa, ela ficava quase o tempo todo sozinha com o filho mais novo; Valentina trabalhava o dia inteiro e saía muito à noite.

Vestia o uniforme do teatro, um terninho azul com uma camisa branca por baixo. Estávamos em um restaurante com vista para a baía da cidade, sugestão dela, que instruíra o taxista a ir pela orla. Quis saber o que eu fazia. Tive pouco tempo para dizer que era jornalista, apesar da insistência do meu pai para eu me tornar arquiteto e trabalhar com ele no escritório. Até comecei a faculdade de arquitetura, mas dois anos depois transferi para jornalismo, e é com isso que trabalho, disse, antes de ela perguntar por que eu estava em Montevidéu. Contei que chegara no dia anterior, estava de férias do jornal até o fim do mês, deixara pago o aluguel de um carro por todo esse período e não sabia bem por onde começar. Perguntei se não topava me apresentar outras partes do Uruguai. Valentina falou que precisava pensar, porém depois da sobremesa já estava sugerindo fazermos uma rota pelos balneários, começando por Piriápolis, passar rápido por Punta del Este e seguir parando em vários deles, La Paloma, La Pedrera, até Punta del Diablo e talvez Cabo Polonio, se desse tempo. Dei meu e-mail e ela prometeu me escrever para combinarmos a viagem.

Nos dois dias que esperei um contato, vaguei pelo centro antigo de Montevidéu, onde ficava meu hotel, parando em todos os brechós e antiquários possíveis. Num deles, o dono me recomendou almoçar no Mercado del Puerto e tentar ir na visita guiada do Solís. Detive-me mais um tempo ali, caçando não sei o que no meio de pilhas e pilhas de objetos, livros, discos, cadeiras, mesinhas. O senhor pediu licença, precisava fechar a loja mais cedo, pois no dia seguinte iria a Buenos Aires tentar comprar os móveis de uma antiga emissora de televisão, que fechara recentemente.

Fui até o teatro e refiz o percurso interno, desta vez com um guia bem jovem, de no máximo vinte anos. Reparei que suas frases, apesar de conter informações parecidas com as da Valentina, soavam muito sem graça; fiquei me perguntando se era por ser novato, ou se ela realmente carregava as palavras com uma emoção maior e as escolhia a dedo, ou se tinha resolvido caprichar aquele dia porque era sua última semana e estava extremamente feliz. Aceitou meu convite só por isso, pensei, por querer fazer algo diferente, talvez tivesse recebido propostas parecidas de muitos visitantes, mas como agora em breve sairia de lá podia aceitar, queria aceitar, para ver no que daria.

Partimos amanhã cedo, ela escreveu na tarde do terceiro dia. Anexou um mapa e detalhou o caminho de carro do meu hotel até a casa dela, fazendo questão de dizer que tinha dois endereços, um com o nome da praça e outro com o da rua, era mais fácil procurar pelo da praça, se tudo der errado não deixa de vir.

No início da estrada ela me fez dobrar à direita para entrarmos um momento em Atlántida, um dos balneários mais próximos da capital, onde os tios tinham acabado de comprar uma casa. Querem se mudar logo, disse, não aguentam mais o trânsito de Montevidéu, os índices de assalto que não param de subir. Ri disso e ela me olhou concordando e sorrindo, entendendo que na minha cabeça eu comparava esses números aos de São Paulo.

Percorremos em marcha lenta as tranquilas ruazinhas dali, passando pela nova casa dos tios. Paramos perto da areia e sentamos no capô do carro. Ela me perguntou se no Brasil eu costumava ir muito à praia. Não, falei, os paulistanos que vão mais à praia têm casa em alguma cidade do litoral ou parentes no Rio de Janeiro. Você não sente falta? Não me deixou responder, continuou dizendo que ela mesma sentia muita falta de coisas que não viveu, de conhecer o Brasil, por exemplo, de nadar demoradamente no fundo do mar, de passar o dia debaixo da barraca montada pelos pais, de jogar vôlei na areia até não aguentar mais e depois mergulhar na água com tudo. Às vezes, saindo do teatro aos sábados, eu passava pela praia de Pocitos e observava algumas pessoas que tinham esses hábitos, menos é claro o de ir ao Brasil, esse era de um namorado que tinha família lá. Foi meu último namorado, ela disse, era alto como você. Ficamos juntos por dez meses, acabou ano passado. Sabe quando não tem mais pra onde ir? Era isso, ele não terminava a faculdade nunca, estava quase morando na casa dos meus pais e não pagava nenhuma conta. Além disso, não conseguia concordar comigo, ou pelo menos me entender.

Não comentei nada, ficamos em silêncio por uns cinco minutos. Reparei nos óculos que ela usava, um modelo da Oakley que era moda no Brasil na década passada, sobretudo entre os surfistas e aqueles mais praianos. Ficavam um pouco grosseiros nela, considerando as feições suaves, o nariz fino, os lábios quase inexistentes. Estava com uma calça leve e uma blusa bem larga, e o conjunto todo se movia com o vento.

Como assim não conseguia concordar?, perguntei, e ela respondeu prontamente com um discurso que parecia ensaiado: É normal as pessoas discordarem, mas é importante entender os dois lados, não quer dizer que você foi derrotado ou acabou concordando, é apenas constatar que se pensa diferente. Ele não conseguia, não conseguia entender isso, eu posso ter forçado um pouco, sim, falo demais, como você está vendo, só esperava dele algum bom senso.

Atlántida é mínima, tem certo charme comum às cidades de praia desse tamanho, nas quais o maior movimento parece ser o dos galhos das árvores. Imaginei quem habitaria a cidade: um grupo de moradores de Montevidéu que queria ter casa de veraneio num balneário perto da capital, ou então gente que trabalhava em Carrasco mas não podia morar no bairro. As casas não são grande coisa, a maioria passa despercebida. É bom existirem casas que passam despercebidas, pensei, que não impõem sua presença sobre a cidade, sobre os passantes; casas nativas, que parecem sempre ter estado ali.

Contra o sol do fim de tarde, que atacava o carro em raios horizontais, os olhos dela ficavam ainda mais verdes. Tinha a pele branca, com sardas no nariz, o cabelo castanho-escuro, e costumava usar rabo de cavalo. Chegamos a Piriápolis às quatro da tarde, depois de comer na estrada. Ela me contou que esse era seu balneário favorito, era para lá que ia com os pais quando pequena. Você viu aquele filme, *Whisky*? Foi filmado aqui. Devia ser minha única referência de cinema uruguaio. Vi o filme, respondi, mas não lembro bem a história.

Encontramos um hotel, deixamos as malas e ela me levou ao cerro, de onde se via bastante mar. Sem olhar para mim durante todo o tempo que esteve falando, deu-me a grande explicação sobre as cores das águas uruguaias. A da praia de Montevidéu é marrom porque ainda é o rio da Prata, disse, só que manchas azuis aparecem às vezes, quando entra mais água do mar. Alguém inventou a expressão "mar de tigre", dando nome a isso, e é perfeita mesmo. Agora, à medida que vamos nos afastando da cidade, a água fica mais e mais azul. Em Piriápolis, já é praticamente mar. Minha mãe me trazia aqui em cima e me explicava tudo isso, falava sobre a diferença da cor das águas. Você vai ver, em Punta é ainda mais azul, porque lá a terra se dobra em direção ao oceano. Se for a Montevidéu de novo depois, repara como o tom de marrom varia, e as manchas mais escuras ficam aparecendo e desaparecendo.

Uma bruma pesada começou a tampar a cidade embaixo e trazer um vento gelado. Entramos no carro e voltamos ao hotel, próximo à Rambla de los Argentinos. Fiz piada enquanto ela procurava a chave do quarto, dizendo que o Uruguai sempre foi mesmo uma província da Argentina, veja o nome dessa avenida beira-mar. Valentina não respondeu, entrou no banho e de lá me chamou, falando desnecessariamente alto, pedindo que me juntasse a ela.

Aprendi que levantava cedo. Abri os olhos e ela já tinha arrumado suas coisas, me disse para acordar logo e botar uma roupa, pois o café do hotel terminaria em meia hora. Os lábios finos, junto com a altura da voz, davam a suas palavras um tom ao mesmo tempo distante e urgente.

Quando eu for conhecer sua casa em São Paulo, você me apresenta seus restaurantes favoritos? Prometo te apresentar os meus daqui, ou pelo menos meus pratos prediletos. Esse café da manhã está bem ruim, comecei mal. Deu risada quando pedi para me passar a *mantequilla* — o certo, em uruguaio, é *manteca*. Por que você entende tão bem o que eu falo, onde aprendeu? Falei da minha formação num colégio espanhol no Morumbi, perto da casa dos meus pais, e que minha avó por parte de mãe era catalã. Valentina fez alguma piada com *gallegos* tipo os da minha família — os espanhóis são, para os uruguaios, como os portugueses nas piadas brasileiras: sempre estúpidos, não entendem os códigos sociais mais básicos e acabam passados para trás.

Saímos pela estrada. A próxima parada seria a Casapueblo, em Punta Ballena. Ela se propôs a me contar no caminho a história de Carlos Páez Vilaró, o artista e dono da casa, assim pouparia a nós dois do vídeo de trinta minutos e cheio de frases de efeito, escritas e narradas por ele, uma autopropaganda ostensiva e irritante. Ela adorava o lugar e tinha simpatia pelo artista como pessoa, mas detestava suas obras — segundo ela, retalhos de Picasso e Torres García misturados a *candombe* e máscaras africanas, numa autorrepetição infinita. O mais interessante, ela disse, é a vida do cara. O filho dele é um dos sobreviventes entre os jogadores de rúgbi daquele acidente de avião na cordilheira dos Andes, você conhece a história? Ficaram sem alimento por meses, precisaram comer a carne dos atletas mortos, até que dois deles cruzaram a cordilheira e conseguiram chamar ajuda. Bom, além disso, ele morou em Nova York, na Europa, na África, esteve no ateliê do Picasso e tirou uma foto com ele. Foi construindo a Casapueblo aos poucos, feito joão-de-barro, é isso que diz no vídeo, e realmente ficou muito bonita, parece uma construção grega. Gosto mesmo é do carisma dele, dos giros que deu na vida, da casa que construiu e só. Hoje a Casapueblo tem um hotel, uma parte ele ainda usa para pintar e receber pessoas e a outra é para os visitantes, com as obras expostas, lojinha etc.

Nossa visita foi rápida, portanto. Antes de sair, fomos até a varanda para tomar uma cerveja. Dali, a casa me parecia um abominável homem das neves escalando a encosta de Punta Ballena. Descrevi minha visão e ela disse, em meio a uma gargalhada maior do que eu esperava, que não dava mais para levar a sério os jornalistas em parte alguma. Pagou a conta discretamente ao levantar para ir ao banheiro, sentou de novo e quis saber do meu último namoro.

Contei da Marina, sem muitos detalhes. Ela me pediu mais, não era possível um relacionamento de cinco anos se resumir a uma menina oriental que me fazia sushis em casa e trouxera um gato quando viera morar comigo. A Marina depois foi viver no Japão, nunca mais vi, falei. Eu terminei o namoro, não dava para seguir com aquilo, naquele momento, daquele jeito. Sinto saudades dela, sim, às vezes, ter morado junto no último ano deixou algumas sequelas, mas ela está fazendo o que sempre quis, eu soube por um amigo, mora com a tia e trabalha para a embaixada promovendo intercâmbios culturais com o Brasil.

Tivemos um casal de gatos em casa, ela disse. A fêmea deu cria, todos eram cor de caramelo, menos um, branco feito o mármore da sala. Uma noite meu irmão desceu para buscar algo, não viu o gato encostado no último degrau da escada e pisou nele; *pobrecito*, estagnou no crescimento, vivia miando pelos cantos, e por fim teve de ser sacrificado.

O da Marina também era branco, falei, chamava Gaspar, como o fantasminha. Ela voltou ao assunto anterior. Desculpa perguntar sobre seu namoro, talvez você não queira falar, e eu não acho que ainda gosta dela, não se preocupa, não estou pensando isso. Às vezes sentimos falta de coisas distantes, mas essa falta não significa amor, é um reflexo da ausência de algo que não sabemos quando vamos reencontrar, ela disse, categoricamente, e voltou o rosto para o mar.

Odeio Punta del Este. Valentina fez cara de desgosto e depois concluiu: só que precisamos passar por lá de qualquer modo, fazer o quê?, é o caminho. Logo no início da cidade dobramos à esquerda num bairro de casas, e ela apontou uma que sempre via e achava linda, e outra, totalmente cafona, em que morria de vontade de entrar para saber como era por dentro. Passamos pelo centro comercial, Calle Gorlero. Para aqui no La Pasiva, você foi em Montevidéu? Ela se surpreendeu com minha negativa: é a melhor dessas redes de lanchonetes. Apresentou-me a *figazza*, espécie de pizza sem molho de tomate e com cebola condimentada (ela gostava com mussarela), e recomendou cachorro-quente com queijo por cima, a melhor pedida dali.

Falei que seria engraçado passar uma noite luxuosa no Conrad e jogar no cassino, como um desses casais que vão à cidade só para isso. Vários amigos endinheirados tinham me falado do hotel, o qual eu e ela concordamos ser o edifício mais feio da orla, tão logo o avistamos do carro. Em princípio ela rejeitou a ideia, mas depois começou a rir, topou, eu pagaria a extravagância e, como já era mais para o fim de janeiro, não seria impossível conseguir um quarto.

Pedi um com vista para o mar. Ao entrar, descobrimos que estava montado com duas camas de solteiro em vez de uma de casal. Quis ir até a recepção, mas ela se adiantou dizendo que era melhor assim, não ia dormir na mesma cama de um quase estranho de jeito nenhum. Eu ri, mas ela não desfez a piada, apressou-me para descermos logo para o cassino.

Trocamos duzentos dólares meus e passamos umas duas horas lá. Vimos de longe a sala especial, reservada para aqueles apostadores profissionais, pessoas que eles inclusive mandam buscar no Brasil e em outros países próximos, de jatinho. Nós nos separamos por um momento; era a primeira vez que eu entrava num cassino, fiquei um pouco perdido, sem saber o que fazer, não joguei nada. Encontrei Valentina de novo numa máquina caça-níquel, dando risada do próprio azar.

Troquei as fichas que não usei (quase todas) e subimos pelo elevador principal. Já no quarto, ela correu para o banheiro e ficou quase uma hora trancada. Observei demoradamente a *rambla* iluminada, com pouco ou nenhum movimento na madrugada. Depois deitei, e me entretive lendo as brochuras e os postais deixados em cima da cabeceira: um passeio de barco para ver lobos-marinhos numa ilha, uma escultura em forma de mão enterrada na areia da praia, uma casa de chá que parecia um castelo suíço.

A Valentina tinha bebido um pouco demais, desmontou

em cima de mim assim que saiu do banho, de roupão. Dormimos apertados numa das camas de solteiro.

Acho que foi só ao me mostrar o condomínio Terrazas de Manantiales, depois de cruzarmos La Barra (os preços eram absurdamente inflacionados na temporada, tornando impraticável almoçar ou comer por lá), que ela me contou ter estudado arquitetura também. Disse que faltava muito às aulas de teoria e história, mas, se lembrava bem, aquele era um edifício "pós-moderno" que, diferentemente da maioria das construções desse movimento, não era ridiculamente feio. Tem até um livro, *Aprendendo com Las Vegas*, falou, como se eu fosse totalmente leigo. O Terrazas era um conjunto de tijolo aparente em forma de ferradura, com um enorme pátio no meio, e parecia muito aconchegante.

No carro, contei para ela da minha viagem pela costa da Califórnia com a Marina, de Los Angeles a San Francisco, e todo o arquiteturismo que fizemos por lá, entre casas modernistas, prédios pós-modernos, cidadezinhas de praia, cidades grandes. Falei do dia em que o GPS do carro estava desconfigurado e levamos oito horas para chegar numa cidade, numa viagem que duraria três, no máximo, caso tivéssemos ido pelo caminho normal. Valentina só ouviu, atenta. Conseguimos consertar o aparelho depois, falei, insistindo que alguém o tinha configurado para evitar vias expressas. Ela estava com a janela aberta, de olhos fechados, a cabeça levemente inclinada para trás.

* * *

Íamos em direção a José Ignacio — ela prometera me apresentar o Medialunas Calentitas na entrada da cidade e dissera ser uma das praias mais bonitas do Uruguai — quando avistamos a casa inacabada. Logo nos interessamos, encostei o carro e a inspecionamos. Não havia ninguém, e a Valentina nunca reparara na existência daquela construção. Que pena não terem terminado a obra, comentou, gosto da ideia de separar o ambiente mais privado do mais social em dois blocos que a gente consegue diferenciar de fora. Falou que adorava ruínas e que, dali a muitos anos, algum desses arquitetos de *retrofits* poderia se interessar pela casa, e preservaria algo de suas características originais, acrescentando elementos contemporâneos. Na reforma recente do Solís eles mantiveram boa parte do projeto original, mas aboliram as entradas separadas para lugares caros e baratos, criaram um acesso único, trocaram a madeira de alguns fechamentos por vidro para isolar o barulho da rua e tudo, lembra?

Vimos o pôr do sol sentados na beira da casa que dava para a estrada. Era uma noite quente e acabamos dormindo ali, deitados sobre o piso da sala.

Na manhã seguinte, trouxemos as malas e o resto do almoço do dia anterior, não tínhamos dado conta da porção enorme que nos serviram. Nós nos instalamos no quarto — antes de pegar a estrada tínhamos comprado sacos de dormir *por si acaso*, como dizia a Valentina.

Saímos de roupa de banho para explorar a região. O terreno era bastante arenoso, com uma vegetação rasteirinha, havia poucas casas e um espaçamento enorme entre elas, como se o local ainda não tivesse sido descoberto pela especulação imobiliária, ou os lotes fossem enormes, com casas muito pequenas por falta de dinheiro ou de imaginação.

Pela primeira vez na viagem fomos, de fato, à praia. Ficamos um longo tempo na água, pulando ondas, esperando elas chegarem até o ponto de quebrar antes de saltar. Expliquei a ela o que era pegar jacaré, e contei que detestava três coisas relacionadas a praia: passar protetor nas minhas próprias costas, tirar grãos de areia dos olhos e ter de solicitar assistência para fincar o guarda-sol — o meu sempre voava.

Lembro que a Valentina estava bem quieta nesse dia. Observava tudo com um ar um pouco distante, sorria com atraso quando eu dizia algo engraçado, não quis tentar pegar jacaré. Ao sairmos da água, sugeri procurarmos algum mercado por perto. Ela concordou e, diferentemente do seu costume, me deixou ir decidindo o caminho, sem dar orientações.

A mercearia, da qual em breve viraríamos clientes habituais, era praticamente um barracão, e se abria para a laguna na parte de trás; sentar para comer na varanda era muito agradável. Reparei que o nível de água da laguna estava bastante baixo, se comparado ao do dia anterior, deixando transparecer uma vegetação pegajosa, ainda úmida, que normalmente ficava submersa.

Na casa, a noite chegava sem muito aviso, de repente não enxergávamos mais um ao outro. Se estivéssemos na sala, era só depois de uns bons minutos que conseguíamos distinguir, entre os caibros do telhado, o céu preto com algumas estrelas.

Dormimos a *siesta* ali, e ao despertarmos já era de noite. Demorou para acostumarmos os olhos à escuridão. Valentina se dobrou para cima de mim, puxou minha bermuda. Ficou deitada sobre o meu corpo, também nua, depois que terminamos. Levantou devagar e me chamou para irmos dormir no quarto.

Acordei tarde, um pouco desorientado, tentando reconstituir os eventos dos dias anteriores. O buraco da futura janela dava para a praia. Estava bastante nublado, umas nuvens bem escuras se formavam no horizonte. Veio-me certa indisposição intestinal, e por sorte o vaso sanitário estava colocado, embora precisássemos usar um balde com água para dar descarga.

Havia duas pichações na casa. A do quarto era um tanto misteriosa, dizia *Lambada*, apenas. Na sala, lia-se algo mais filosófico: *No pierdas tiempo, nunca*. Olhei de novo essa segunda, reparando na letra gorda, toda em maiúsculas, e na assinatura ilegível. Pensei que deveríamos escrever algo também, estava a ponto de sugerir isso quando a Valentina falou para pegarmos o carro e irmos tomar um brunch no famoso Medialunas Calentitas.

Ficava num pequeno centro de conveniência à beira da estrada, que também tinha uma farmácia, uma videolocadora e um showroom com móveis de aluguel para eventos. Compramos as *medialunas* para viagem, e perguntamos se poderíamos sentar nas poltronas em exposição, do lado de fora do showroom. A dona, bastante jovem, disse que sim. O lugar se chamava Sofa Rent & House; achei curioso e questionei a Valentina sobre essa presença de nomes anglófonos em empresas, menus, que os uruguaios pronunciavam sempre com muito sotaque. Vem da Argentina, ela disse, essa mania de falar as coisas em inglês, como se ganhassem importância.

Tivemos de tomar cuidado para não sujar os móveis, as *medialunas* eram lambuzadas com uma calda de gordura adocicada e nossas mãos ficaram grudentas depois de comer.

Já era nosso quarto dia na casa, e seu esquema alimentar seria, mais ou menos, nossa rotina nos seguintes. Almoço na mercearia, barato, onde comprávamos um sanduíche ou algo para de noite e um iogurte para a manhã, que acondicionávamos numa sacola térmica, outro *por si acaso* da Valentina.

O sol daquela tarde fazia a água da laguna parecer prata

líquida, refletindo nos caibros secos da sala uma luz muito forte. Fiquei pensando que o proprietário deveria ter optado por vidro na parte de trás, e não paredes com janelas pequenas, assim aproveitaria melhor a vista para a laguna. No lado que dava para a praia, não havia fechamento, talvez fosse usar só vidro ou simplesmente não tivera tempo de construir a parede ali.

A Valentina veio com a ideia de darmos um mergulho na laguna, ainda não tínhamos ido até lá. Ao chegarmos, ela tirou toda a roupa e me instou a fazer o mesmo; entramos os dois assim.

Me carrega, ela falou, olha como sou leve. Pisar no lodo me incomodava, tentei boiar o máximo que pude. A laguna é enorme, dali dava para ter uma noção melhor da sua extensão: impossível enxergar o outro lado. Nadamos até uma pequena ilha de terra e subimos nela — eu com certo receio. Isso está parecendo *A lagoa azul*, ela disse. Caminhava com confiança na minha frente, como se não estivesse nua, afastando o mato do rosto, apontando insetos, gritando para eu não ficar para trás. Demos meia-volta e, perto de onde subimos na ilha, ela me puxou pela mão e começou a correr para mergulhar.

Contei que era meu aniversário. Ela cantou parabéns, batendo palmas submersas para jogar água em mim. Você é de aquário, falou, e eu desfiei minha fala habitual: Não acredito em signos, todo mundo tem alguma característica de qualquer signo, é coincidência, as pessoas acabam querendo parecer com seu signo — às vezes nem são tão teimosas, mas, já que o signo manda, acabam acentuando isso. Por exemplo, o Romário e eu nascemos no mesmo dia, e somos totalmente diferentes. Ela me perguntou quem era Romário e explicou que a diferença estava no ascendente.

Na manhã do quinto dia, levantei e não achei a Valentina.

Procurei em todos os cômodos, na praia em frente, na mercearia, vaguei de carro pela região, nada. Era a segunda vez que ela sumia, embora na primeira — os dois dias que esperei antes da viagem — mal nos conhecêssemos.

Almocei sozinho. Tive receio de ela ter voltado para Montevidéu, ou ter sofrido algum acidente na praia. Lembrei o absurdo medo de tubarões da Marina, achava que seria atacada nos lugares mais improváveis. Na Califórnia, mal entrou na água por causa disso, fez toda uma pesquisa prévia e me mostrava matérias on-line com pessoas sangrando e com cara de desespero, tubarões com os dentes de fora tentando pular em barcos, estatísticas das praias com maiores e menores índices de ataques.

Quando voltei à casa a Valentina estava lá. Às vezes fico de um jeito que ninguém me aguenta, falou, eu mesma não me entendo, faço coisas sem pensar, acabo machucando as pessoas. Você vai ter que ser forte, me dar bronca sempre que isso acontecer, e precisa compreender esses meus momentos para convivermos bem. Estava em pé no quarto, cheia de areia nas pernas, o rosto manchado com algo escuro que não identifiquei. Tentei abraçá-la, mas ela se afastou, não era assim, disse, eu realmente precisava brigar com ela. Recusei-me, saí do quarto atordoado, entrei no carro e liguei o som. Não demorou para ela se juntar a mim. Sentou sem falar nada, inclinou o banco até o limite e cochilou.

O carro já tinha alguns suvenires que o tornavam quase nosso, até me esquecia de que era alugado. Um dado do cassino do Conrad pendurado no retrovisor. Uma concha de uma feirinha de Piriápolis, perto do cinzeiro. Um adesivo da Casapueblo no para-choque. Os carros no Uruguai parecem ser todos da década retrasada, esse era uma exceção, um compacto novo, vermelho — lembro-me de ter pensado, na hora de fechar o aluguel, que assim o encontraria mais facilmente. Eu o tinha estacionado de frente para o mar, desse jeito podia apreciar bem a vista enquanto escutava música.

A rádio tocava um rock argentino engraçado. Ratones Paranoicos, acho: *Ya morí, ya morí de espaldas, nena/ Ya morí, ya morí y nadie se entera/ No trates de encontrarme/ No salgo ya a ninguna parte/ Me gusta caminar por mi mansión.*

Reparei de novo na mancha escura no rosto da Valentina. Parecia óleo, graxa, algo do tipo. Ela trocara de roupa, estava com um vestido azul longo e bem folgado, limpara a areia da perna. Acordou de repente e me perguntou por que olhava para ela, se tinha todo um espetáculo à minha frente, o mar, o céu totalmente azul. Passavam pouquíssimos carros, ao menos era essa minha impressão, embora aquela fosse uma rota importante.

Sugeriu irmos a um museu de esculturas, numa estrada perpendicular à da praia, bem perto. Pablo Atchugarry, falou, desse eu gosto bastante. O museu tem o nome dele, embora ainda esteja vivo, é uma fundação na verdade, e ele tem um ateliê no local.

Já do estacionamento vimos um monte de mármore cortado e em pó espalhado pela entrada de um dos galpões. Pablo estava lá, também coberto de pó. A Valentina insistiu para falarmos com ele. É um sujeito alto e corpulento, deve ter quase dois metros, barba cheia e grisalha. Depois de ouvi-la expressando sua admiração, agradeceu e pediu desculpas, pois precisava sair, tinha de comparecer a uma vernissage em uma hora, ali mesmo. Era um evento para convidados, mas, se quiséssemos, ele daria um jeito de nos colocar para dentro. Não se preocupem com a roupa, falou, as noites de abertura aqui são bem informais. Aceitamos, fomos ver a exposição permanente e o parque de esculturas ao ar livre, depois fizemos hora caminhando à beira do lago.

A Valentina passou a vernissage inteira atrás dele, com o mesmo copo de champanhe na mão, vendo-o cumprimentar os convidados e fazendo pequenas perguntas nos intervalos: como você deixa o mármore tão liso e com as curvas tão perfeitas?, quando abriu esse museu?, eu trabalho no Solís, você já foi lá?

Não era uma exposição dele, mas a artista devia ser sua amiga. Perdi a paciência e voltei para o carro. Ela chegou meia hora depois, dando bronca por eu não ter me despedido do Pablo.

A essa altura, a Valentina tinha feito amizade com todos os caseiros e jardineiros da região. Quase todos os dias saía para caminhar um pouco e os cumprimentava, às vezes parava para jogar conversa fora. Tratava com cordialidade o dono da mercearia, mas não falava muito com ele. Toda essa nuvem de testemunhas lhe contara as lendas a respeito da casa, em diferentes versões. Especulavam que o proprietário era um gringo que perdera tudo — no cassino?, em apostas de corrida de cavalos? — e por isso voltou ao seu país, nunca mais apareceu.

Eu ficava inventando outras histórias e compartilhava com ela. O Michael Jackson se escondeu aqui, o Bin Laden também se refugiou nessa casa. Valentina embarcava na minha e imaginava outras, menos óbvias: um casal de capivaras da laguna que se alimentava do mato sob a casa teve filhotes ali; um músico viera para compor as canções de seu segundo disco, mas não conseguia, pois ficava o dia inteiro na praia fumando maconha; um brasileiro se instalara com uma uruguaia que arrumou em Montevidéu, não fazia ideia da enrascada em que estava se metendo, ela era bem doidinha, mas se via que gostava muito dele — será que esse pessoal todo um dia vai contar nossa história, ela disse, e vão rir dos nossos trejeitos, do seu sotaque ao pedir a conta, das minhas roupas largas que você odeia? Eu contaria assim, ela seguiu: um brasileiro *medio raro* resolveu chamar uma uruguaia que tinha acabado de conhecer para viajar com ele.

Ela aceitou, aos poucos foi se afeiçoando, levou a alguns de seus lugares favoritos, contou suas memórias de infância, apresentou as melhores comidas do país. Ele era muito calado, e ela adorava isso, sabia que ele também estava de saco cheio do trabalho, embora não tivesse dito, sentia que ele queria ficar por ali sem pensar no futuro, e você deveria mesmo, *cariño*, mesmo não te conhecendo há muito tempo sei o que te deixa inseguro, tipo esse meu jeito meio inconsequente, mas tenta não prever tanto as coisas, tenta se permitir ir andando sem saber para onde, você é uma das pessoas mais adoráveis que eu já conheci, te disse isso?, não vamos casar, eu já sei, ou vamos, mas não sei se eu devo fazer isso com você, meus pais sempre dizem que sou meio louquinha, chegou a Valentina pra arrumar confusão, o dono da mercearia se despediu de mim dizendo baixinho *andáte loquita*, eu ouvi, então a questão é saber se o brasileiro gosta disso, tem quem goste, sabe?, outros brasileiros até, você talvez goste mais das orientais, ainda não sei com certeza, sei que gosto muito de você, pessoas como eu não demoram a decidir as coisas, já sabem de uma vez, dizem logo, sem fingimentos, meu outro namorado me disse que eu era sincera demais e fora de hora, realmente não sou de ficar escondendo, meus pais sempre dizem que sou meio louquinha, chegou a Valentina, esse meu jeito meio inconsequente e tal. Eu contaria assim.

***

No sétimo dia ela veio com a ideia: vamos terminar a casa. Tenho uns amigos que trabalham com reforma, podem me indicar onde comprar material de construção aqui. Vai ser bem mais barato do que construir algo do zero. Você não tem um pouco de dinheiro guardado? Aqui pega internet, a Antel tem cobertura. Você vai escrevendo suas reportagens enquanto eu penso no que fazer da vida, de repente volto a ser arquiteta. O seu trabalho não pode ser remoto? Quem sabe você vira correspondente.

Tentei explicar que não era bem assim — eu tinha de estar em São Paulo, e mesmo se quisesse mudar de área no jornal com certeza não precisavam de alguém fixo no Uruguai —, mas ela não me ouviu, estava absorta naquela possibilidade. Enquanto eu falava, mediu com passos os cômodos da casa e desenhou a planta em seu caderninho, feito com um papel bem fino, que dava transparência. Logo começou a rabiscar por cima, papel sobre papel, imaginando possíveis disposições, talvez juntar dois quartos, falava para si, ou melhor não demolir, vamos tentar gastar o mínimo, de repente começar pelo telhado da sala.

Desisti de tentar interferir e fui comprar algo para comer na mercearia. Ao me ver chegar sozinho, o dono me chamou no canto e disse: *Cuidado con esa chica*. Perguntei por quê, mas ele me deu as costas e voltou para anotar o pedido de um rapaz que o esperava no caixa. Julio era baixinho, parecia um personagem de desenho animado. Movimentava-se muito, agachava para pegar gelo, subia num banquinho para procurar uma bebida na estante, mandava o funcionário tirar uma carne da *parrilla*.

Sentei numa mesa da varanda, começava a ter sinais de enxaqueca. Tomei o remédio que costumo levar comigo e esperei passar. Notei que a laguna estava mais cheia, seus limites indo muito além do normal, ou do que nos acostumamos a ver.

Quando voltei, a Valentina estava sentada na escada de fora, empunhando o caderno, esfuziante. Parecia nem ter notado toda a água embaixo da casa. É isso, é isso!, gritava. Aparentemente tinha achado uma boa solução, mas não quis me contar, pegou o celular e ligou para um fornecedor que alguém já indicara. Começamos amanhã, pode ser? Conversava olhando para mim, com um sorriso de boca meio aberta, e logo abaixava a cabeça para ouvir a resposta do outro lado da linha.

Valentina, falei, isso é loucura, e se o proprietário aparecer? Seríamos invasores, usucapião é só depois de sei lá quantos anos. Não entendi o que ela respondeu, já estava de novo ao telefone, dessa vez com alguém que trabalhava com telhados. Apontei para a água, que parecia estar subindo mais. Provavelmente minha expressão continha um pouco de preocupação e de irritação, estava irritado por ela não me ouvir, mas sobretudo por não ligar para toda aquela água ali, tão perto da gente. Desligou e me disse firmemente para não me preocupar. Não se preocupa, falou de novo, gritando ao subir a escada correndo.

Na manhã seguinte falei que queria conhecer a tal praia de José Ignacio de que ela tanto falara. Não posso, Valentina disse, preciso esperar uma entrega. Ameacei ir sozinho e ela não ligou, quando vi já estava do outro lado da sala, olhando para cima, tentando visualizar alguma coisa.

Seguindo as placas era fácil chegar a José Ignacio. É uma praia enorme, com um farol na ponta, estava relativamente cheia. Sentei numa espécie de restaurante na areia, que tinha umas mesinhas num deque coberto por uma pérgola. Dali, vi o dia todo passar, o movimento dos turistas chegando e sendo cobrados para usar espreguiçadeiras e guarda-sóis, pessoas passando protetor solar, adolescentes tímidas e exibicionistas andando juntas e aproximando-se de um grupo de rapazes, adultos montando e enchendo piscininhas, bebês de chapéu, conversas sobre a poluição em Buenos Aires, muito chimarrão (apesar do calor). Almocei, tomei três cervejas e duas águas.

Cheguei já de noite à casa. Ou *em* casa. Pensando agora, eu provavelmente teria dito em casa, na época. Minha casa em São Paulo estava longe no tempo e na distância. É comum, quando se está de viagem por muito tempo, dizer vou para casa, ou preciso passar em casa antes de fazer tal coisa, mesmo que essa casa seja um quarto alugado na casa de um estranho, até um quarto de hotel. Talvez seja a rotina que realmente dê a sensação de morar num lugar — mais do que os móveis, a decoração. Saber que você vai chegar em determinada hora e sair no dia seguinte de manhã, e assim sucessivamente.

Valentina estava sentada no chão, encostada a uma parede da sala, dormindo. Levei-a para o quarto e me deitei também.

Começaram a chegar carregamentos de telha, vigas de madeira, caixas de azulejos, metros e metros de manta asfáltica. Ela arrumou dois pedreiros para trabalhar, e passava o tempo inteiro coordenando o trabalho deles, mal falava comigo.

No terceiro dia de obra, entregaram um sofá usado daquela loja perto do Medialunas. Fiz um bom negócio, ela se justificou, precisei pegar seu cartão, você estava dormindo, desculpa. Foi muito barato.

Desisti de ser arquiteto principalmente por causa de tudo o que envolvia empreender uma obra. Fiz um único estágio na faculdade, acompanhando a reforma de um apartamento. Medi todos os ambientes antes, duas vezes para não errar, desenhei o apartamento todo, e meu chefe fez o projeto. Terminei o detalhamento dos banheiros e da cozinha e esbocei no computador uma perspectiva 3D para o cliente entender melhor. Já não aguentava mais o dia a dia do estágio. Depois de um dia em que precisei quase implorar para um pedreiro refazer uma parede que estava fora de lugar, pedi demissão, e no semestre seguinte me transferi de curso.

Atacaram primeiro o telhado da sala. Quando já tinham

feito metade, pararam não sei por quê, e começaram a emboçar as paredes. Mal deram a primeira mão de tinta, largaram tudo para colar os azulejos do banheiro.

Era curioso observar os dois pedreiros trabalhando. Conversavam pouco, obedeciam à Valentina com determinação, sem questionar. Nunca se dirigiam a mim. Um deles parecia mais experiente, repassava e filtrava as ordens para o outro, mais novo. Talvez fossem irmãos, eram altos e o nariz dos dois era bem parecido. Às vezes ela se irritava, gritava, eles abaixavam a cabeça e seguiam com o que estavam fazendo.

A convivência com duas pessoas desconhecidas me incomodava, e essa sensação foi piorando a partir do quinto dia de obra. Nessa noite, fui dar um mergulho no mar. Nunca tinha entrado àquela hora. Parecia mais tranquilo que o normal, como se dormisse também. Algumas nuvens encobriam a lua. Flutuei por um tempo, sem prestar atenção para onde a correnteza me levava.

Saí da água e tive de andar bastante até encontrar de novo a casa, todo sujo de areia molhada. Assim que começou a tempestade, fiquei de pé na escada, sentindo na pele as gotas e aproveitando para limpar a areia. Não dormi essa noite. Quando a chuva parou, no meio da madrugada, fui até a estrada e sentei numa das pistas. Nenhum carro passou, por horas e horas. Voltei à casa e esperei a Valentina acordar.

Não demorou para pipocarem e-mails do trabalho. Eu sabia que não poderia ficar muito mais, meu período oficial de férias já tinha acabado. Tentei falar disso, mas ela disse para eu esperar, logo, logo veria a diferença na casa.

Pelo menos para mim, parecia não ter mudado muito depois de dez dias de obra, embora ela me relatasse os passos resumidamente toda noite antes de dormir. Eu não conseguia ver os avanços: ainda chovia na sala, ainda era ruim de deitar no quarto, a descarga continuava sem funcionar.

Os peões pararam de ir depois de doze dias de trabalho. Primeiro o mais novo, simplesmente não apareceu uma manhã. O irmão veio falar comigo no dia seguinte, numa hora em que a Valentina estava na praia. *Maestro*, disse, sua mulher, é o seguinte, desculpe, não vamos poder ficar mais. Tenho que cuidar de uns assuntos pessoais em Maldonado, avise a ela, por favor. Pegou suas ferramentas e foi embora. Comuniquei o pedido de demissão coletiva à Valentina, mas ela praticamente me ignorou. Continuava falando da obra, obcecada, como se fosse um Eldorado recém-descoberto.

Mesmo nessa fase, todos os dias ela acordava e ia dar um mergulho no mar. Era uma espécie de ritual, saía molhada e não esperava secar, vinha caminhando pela areia, com o único biquíni que trouxera na mala, deixava que o pé ficasse empanado, atravessava o asfalto descalça, subia a escadinha improvisada, sentava na beira da casa e batia a areia do pé com a mão. Ficava ali um tempo, até se secar, e só depois se entregava aos afazeres do dia.

Na manhã do nosso vigésimo dia na casa, logo que ela saiu, juntei minhas coisas, peguei o carro e parti. A estrada é muito boa, em menos de três horas se chega ao aeroporto de Carrasco.

A paisagem depois de Punta del Este é quase toda plana. Vacas pontuam o percurso com certo ritmo. Valentina adorava vacas, contou-me que nas viagens de carro de sua família ela ia no banco de trás com o irmão, muito pequeno, e brincava de fazer cócegas nele toda vez que avistavam uma. Durante o trajeto, meus pensamentos oscilavam entre a paisagem ao redor da casa e a presença da Valentina. Seu corpo se dobrando sobre o meu, o jeito de correr de lado na areia, as costas cheias de pintas saindo do saco de dormir, seu olhar no espelho do carro, as roupas largas, a explicação sobre as águas do Uruguai, as teorias sobre tudo, as comidas de que gostava, o jeito urgente de falar as coisas, a quantidade de palavras. Falava bastante, se autoanalisava o tempo todo, argumentava consigo — no começo eu achava que as perguntas eram para mim, respondia até, mas logo vi que quase sempre eram diálogos dela consigo mesma.

Perto da entrada do aeroporto decidi voltar à pista principal e ir ao centro da cidade, passar novamente naquele antiquário. Podia ser normal alguém recomendar uma ida ao Solís, mas falar especificamente da visita guiada, viajar a trabalho para Buenos Aires etc., era coincidência demais. Fui até lá para confirmar minha suspeita.

Ele estava sentado no caixa, fazendo contas. Agradeci a indicação. Você fez a visita com minha filha?, perguntou, levantando um pouco a cabeça. Espero que sim, pois aquela era a última semana dela no teatro. Foi a melhor guia de lá, sem dúvida.

Como é sua filha?, indaguei, e ele respondeu que, se tivesse sido com ela, eu lembraria. É uma moça muito marcante, falou, pouca gente se esquece. Agora está com umas amigas em Cabo Polonio, resolveu tirar férias.

Ficou de pé, desligou o ventilador e retirou de uma gaveta alta alguns grampos e uma fotografia. Aqui somos nós quatro: pai, mãe, filho, filha. Esse que piscou na hora da foto é o namorado dela, um brasileiro de Florianópolis que mora há alguns anos no Uruguai.

Devolvi o carro na locadora do aeroporto do jeito que estava — não o lavei, não retirei o dado do Conrad, a concha de Piriápolis, o adesivo da Casapueblo. Só nesse momento me dei conta de que deixara a Valentina a pé. *Esas cosas pasan*, ela diria. *Hay que acceptarlas*.

A passagem foi cara, mas comprei mesmo assim. Comi dois hambúrgueres no McDonald's, depois fui ao último andar e fiquei observando os aviões no pátio, tentando imaginar para onde cada um iria. Um deles era o meu, um deles me levaria de volta para casa, minha casa de verdade, ou aquela que voltaria a ser minha casa quando eu enfim estivesse nela. A casa da laguna era a casa da Valentina agora, como fora a casa dos suecos; ia se tornar a casa dela, caso permanecesse lá, levando a cabo a obra ou não, apenas ficando nela, saindo todas as manhãs para mergulhar no mar e vindo toda molhada, almoçando na mercearia, cochilando no chão da sala. Às vezes nem eu me aguento, ela me disse, num dia em que talvez estivesse tão cheia de si que não suportava. Lembrei-me dos diferentes níveis da laguna. Tudo o que acontecera naqueles vinte dias na casa começava a se turvar na minha cabeça. Depois vou lembrar melhor, pensei, com o tempo o que é realmente importante se cristaliza na memória e lembramos em relatos mais polidos, testados e contados, mas eles vão e vêm, um dia lembramos mais do começo de uma história, outro dia de seu fim, e há dias em que estamos mais propensos a lembrar o meio dela, nossa memória enche e esvazia, cobre todo o nosso pensamento ou se vai — esperamos que nunca completamente.

* * *

Não tive mais notícias da Valentina. Mandei dois e-mails, sem resposta. Hoje estava lembrando que não fizemos o passeio recomendado pelo caseiro da casa ao lado: uma travessia de balsa pelas águas tranquilas da laguna.

# Agradecimentos

Obrigado aos amigos e primeiros leitores deste livro: Livia Deorsola, Antônio Xerxenesky e Alice Sant'Anna. À Carol, pelas leituras e por tudo. E à minha irmã Érica, que sempre soube.

ESTA OBRA FOI COMPOSTA PELO GRUPO DE CRIAÇÃO EM ELECTRA
E IMPRESSA PELA PROL EDITORA GRÁFICA EM OFSETE
SOBRE PAPEL PÓLEN BOLD DA SUZANO PAPEL E CELULOSE
PARA A EDITORA SCHWARCZ EM JANEIRO DE 2015